就想开间小小咖啡馆

王森◎著

中信出版社

北京

目录

02 怎样开间小小咖啡馆

03 我的参差咖啡日记

前言

　　"就想开间小小咖啡馆"，给书起这个名字，首先，这是我5年前，甚至10年前的梦想。还有一个更重要的原因，是因为最近4年来，在我的参差咖啡馆里，听到好多客人告诉我，他们非常羡慕我的生活状态，他们将来的终极梦想也是开一间咖啡馆！于是，当我决定写这本书，把我这5年来陆续开办16间小咖啡馆的故事和体验跟大家分享的时候，"就想开间小小咖啡馆"就早早成了书名的不二选择。

　　2005年5月，妈妈66岁就因病去世。第一次直面死亡，而且是面对对我疼爱及宽容有加的妈妈，我着实有点手足无措。花了整整一年的时间，我放下自己公司的琐事，开始重新思考关于生命的命题，走了很多地方，喝了很多咖啡，看了很多书。非常幸运，经过对"我到底想要什么"的反复追问，我找到了答案。更加幸运的是，答案其实非常简单！那就是，生命宝贵而短暂，我不要让我的生命被一些其实我并不喜欢，对我来说其实也并不重要的东西充斥和耗尽，我只要过简单而快乐的生活。可是，怎样才能过上简单而快乐的生活呢？我找到的答案也很简单，那就是"选择"，选择去做一件我真正喜欢的，对我来说快乐而且并不困难的，甚至可以说非常容易的事情。

于是，从 2006 年年初到 2007 年年初，我用了大约一年的时间，作出了朋友和同事认为不能理解，不可思议的选择。我放弃了经营得还不错的公司，脑子里只剩下唯一一个小小的愿望——"开间小小咖啡馆"。从此，拒绝所谓事业，拒绝所谓成功，拒绝所谓主流，拒绝贪婪，拒绝诱惑，拒绝挑战，拒绝打拼，拒绝奋斗，拒绝繁复，我只要简单的快乐。感谢妈妈，她的过早离世，让我惊醒，也帮我找到了一个如此简单，但是又如此真实，事实证明也是如此受用和真正属于我的答案。

之后 5 年的经历和事实证明，快乐必须是以一种最最简单的形式出现和存在的，简单的快乐才是可以持续的。真正的快乐就好像清新

的空气，你不用使劲儿地去感觉它的存在，它根本就是不易察觉的，但是它实实在在地让你舒服。从 2007 年 5 月 13 日第一间参差咖啡馆开业到今天，时间过得飞快，只是因为要写这本书，我才郑重其事地坐下来梳理和回忆。陆续开了这么多咖啡馆，却完全有别于以前开公司时候的企图心和所谓的战略规划与布局。每一间新开的参差咖啡馆都属于机缘巧合，必须强调的是，5 年下来的整个过程中，我很少有疲倦的感觉。当然，之所以开了这么多间，也得益于参差咖啡馆之名，当初选用英国哲学家罗素的"参差多态乃幸福本源"之意给咖啡馆命名，不小心奠定了参差咖啡可以以各种各样参差多态的形式存在的基调，每一间新的参差咖啡馆都能够实实在在地满足我对于追求差异化，实现一些小小创意的冲动的构想。

　　渐渐地，我一边打理这些小小咖啡馆，一边开始深切地感受到，人们对真正的咖啡馆的社会需求实实在在地与日俱增。近两年，如果不是我坚持不让原本简单的"就想开间小小咖啡馆"的美丽初衷变了味道，如果不是我很懒很怕累，参差咖啡馆还会开得更多。既然小小咖啡馆的社会需求那么大，而我又要坚持妈妈给我带来的启示；既然我已经"轻轻松松"地实现了很多人的梦想，而那么多人还都怀揣着这个梦想，或犹豫不决，或不知如何入手；既然5年下来，我多少总结出了一些经验，而我也从心里乐见更多的人能够有机会圆了自己的梦想，为什么不写出来和大家分享呢？

　　在我看来，中国真正的咖啡时代才刚刚开始，真正的咖啡馆不是太多，而是太少了。越来越多的人渴望拥有一间属于自己的小小咖啡馆，过上简单而幸福的生活。真正的咖啡馆时代不是一枝独秀，而是大家各具特色，共存共荣。当然，我觉得更有意思的是——分享。分享其实是一种积极而快乐的自我肯定。这就是我写这本书的初衷。

在中国，咖啡馆已经出现20年以上甚至更久了，但是我心目中真正的咖啡馆时代才刚刚开始，真正的咖啡人口也才刚刚开始形成。咖啡馆作为一个行业，其发展空间巨大但又极具特殊性。必须要提出的是，我这里所指的咖啡馆特指"小咖啡馆"，这些小咖啡馆和人们已经熟悉并接受的传统意义上的那些名叫咖啡馆的场所是有本质区别的。个人认为，抛开那些已经遍地开花的打着咖啡馆旗号的棋牌室、简餐厅不论，即便那些我们已经认定就是咖啡馆的，诸如两岸咖啡、名典咖啡这样的连锁咖啡企业也不是真正的咖啡馆，它们的主要营收其实来自简餐、套餐、煲仔饭之类的正餐和主食，咖啡饮品所占营收比例肯定低于50%，所以它们其实就是一间间有咖啡卖的"慢餐厅"。而我这里所说的真正的咖啡馆，咖啡的营收比例应该超过50%，而且注定是小的。我几乎可以肯定，在中国，这些我所指的真正的咖啡馆正在慢慢成为一个全新的行业。

其实，目前市场上已经存在着大量攻略式咖啡馆经营指南书籍，但它们都没有意识到，也就不可能提出"咖啡馆注定是小的"这个概念。一旦忽视了这样一个重要的前提，这些书籍自然也就缺乏对这一特殊性的剖析，通常都只是泛泛而谈。它们当然会涉及选址、装修、开办、经营等环节的所谓攻略，但其实提出的数据和经验都是其他餐饮服务行业所共有的，除了咖啡技术，其他内容对真正去经营一间小咖啡馆几乎没有实质作用。

咖啡馆注定是小的，只要我们可以在这一概念上达成共识，那么与大家分享在过去的 5 年中，一间间小小的参差咖啡如何开办，如何存活至今，如何保持经营过程中的快乐心态，如何找到能够持续经营下去的信心源泉，就显得很有价值了。

好了，现在就让我带大家走进参差咖啡的故事，希望你们能够从中得到一些启发和灵感，愿大家早日实现"就想开间小小咖啡馆"的梦想，当一个简单而幸福的小小咖啡馆的小老板。

王森

2012 年 2 月 14 日

「因为有你
所以参差」

01

参差咖啡的故事

我们在王小波生活过的农场里，"王二"是王小波《黄金时代》里的主人翁。

"重走小波路"与参差咖啡

2007 年 4 月 11 日，是王小波先生去世 10 周年的忌日。这一天，在北京，中国人民大学的一间小礼堂里，有一个简短的纪念王小波的活动和"重走小波路"的出发仪式。来自全国各地参加"重走小波路"活动的十多个人在这里做了简短发言之后，奔赴首都机场前往昆明。我是这群人里唯一一个来自武汉的，当时我并没有意识到，这次旅行竟然开启了我之后 5 年的咖啡馆生活。

"重走小波路"是王小波先生的遗孀李银河女士发起的一个非常特别的纪念活动，通过网络征集全国各地王小波的粉丝，组织大家一起前往小波生前插队生活过的云南陇川国营农场。在我看来，用这样的方式纪念小波实在是一个太好的创意了，小波先生泉下有知，一定爱死这种方式了。

知道这个消息的时候是 2007 年 3 月份，当时我经过一年的思考，

五年前，纪念王小波离世十周年的小波语录T恤展览。

已经下决心放弃所谓的事业，要去寻找一种适合我的简单快乐的生活方式。因为正好在北京处理自己公司的部分善后工作，作为小波的忠实粉丝，我毫不犹豫地、冒失地找到了组委会，参加了组委会在北京的第一次碰头会。可能是因为我前些年几乎每年都去云南旅行，对云南比较熟悉，当我在会上对此行二十多人的组织、行程安排、集结地点、交通工具、注意事项等提出我的建议之后，组委会一致认为我必须参与此行的组织工作。李银河女士曾经写过一篇文章提到，王小波就像一个接头暗号，这些人从别人对王小波的喜爱程度辨别对方是否同类。既然是为同类服务，和同类一块儿完成一次有趣的远行，我当然毫不犹豫地接受了这个好玩的任务。

回到武汉，我快刀斩乱麻地处理完公司的善后事宜，还抽空自制了100件印有"小波语录"的T恤衫，在华中师范大学校园里搞了一次"纪念王小波10年祭——小波语录T恤展"。展览结束，我带着100件T恤衫于4月初赶到北京，开始做一些出发前的联络工作，准备从北京和李银河一行前往昆明与其他全国各地的粉丝会合。在北京的三天，因为咖啡有瘾，经朋友介绍，我几乎每天都会去位于海淀区魏公村一间名叫"蜗居"的小咖啡馆。其间，老板流露出转让的意思，当时我也并没在意。不曾想，仅仅一个月后，这间只有 35 平方米的温馨可爱的小小咖啡馆竟然变成了第一间参差咖啡馆。

"重走小波路"全程一周时间，最远的参与者来自新疆，再加上北京、上海、深圳、昆明、香港，全国各地聚集了二十多位。因为小波，我们聚集到了昆明的大脚氏青年旅舍。我提前预约了一辆大客车，大家 AA 制，途经大理、德宏，到达陇川。一路欢声笑语自不待说，几经周折终于抵达小波生活过的那个农场。农场职工得知我们是因为纪念小波而来，又惊又喜，热情接待了我们。经我提议，我们临走前还在小波原来的宿舍窗外种下了两棵小树。一晃已经过去快 5 年了，小树应该长得很高了吧!

"重走小波路"之后回到武汉，武汉的一个媒体采访我，第一个问题就是，"你是武汉唯一参加这次活动的人，是什么促使你去参加的，你参加这样的活动希望有什么样的收获呢?"老实说当时我对这个问题多少有些不快，也许是因为我对小波的偏爱吧。我认为她问出这样的问题一定是功课没有做足，对小波的了解有限。我告诉她:"如果一定要说到收获，我只能说决定参加这个活动，本就是带着收获去的，因为小波的作品带给了我太多东西，说小波是我的精神导

"重走小波路"参与者合影，中间为李银河。

师一点都不过分。'重走小波路'的形式实在是太妙了，用一次远行来纪念，我自认为深得小波思想和思维精髓，这么有趣的事情怎么能不参与呢？不是什么事情都得冲着收获去，有趣才是硬道理，仅此而已。"这么回答可能显得过于个性，好像后来我说的话也没有刊登。但是我心里的确是这么想的，我刚刚从凡事计算加算计，远期近期目标一大堆，时刻不忘计较结果的怪圈中走出来，一次远行而已嘛，可不可以不要考虑收获什么的呢？我只知道，我非常乐意，非常想去做这件事，整件事情的过程非常开心，非常快乐，难道收获了快乐还不够吗？难道收获快乐和我们以为的收获总是冲突相悖的吗？

事情往往好玩就在这里了，必须承认"重走小波路"之后有一个预料之外，但又并不太意外的收获，那就是结交了很多好朋友，而其中三位北京的朋友促成了参差咖啡馆的诞生。不过，我还是要矫情地声明一下，这并不是我事前预设和期待的什么收获。它只能说明，去做你喜欢的事情，就一定会有收获。前面提到的"蜗居"咖啡馆的确是要转让，三位北京新朋友之一想接下来，另外两位积极附和，因为我比他们更喜欢咖啡，对咖啡更了解一些，于是就相约在 2007 年 5 月 13 日之前接下这间店，这一天是小波的生日。

就这样，5 月初，我带着现金再到北京，确认转让价格，签合同，付款，拿钥匙，换招牌，简单改装，增添了很多王小波的作品和照片。一周之后，我顺利地成了这间小咖啡馆的小老板。5 月 13 日小波生日这天，我们在人民大学又办了一场纪念小波生日的活动，活动一结束，我们请李银河到咖啡馆小坐，咖啡馆就算开业了。

咖啡馆命名为参差，和王小波有关。我们当时想得很简单，只是希望它能成为小波粉丝的一个聚会点，里面摆满了小波的作品，挂了很多小波的照片和小波喜欢的作家的照片。至于如何经营这间咖啡馆，其实当时还没有什么完整的想法和思路，反正北京的股东之一是自由职业，可以坐镇咖啡馆。我呢，算是圆了一个梦，有了一间自己的咖啡馆，开业不到两周就乐呵呵地回了武汉。

北京第一间参差咖啡

没曾想，一年后自由职业的股东被一家著名公司招安，必须每天去坐班，我又不可能为此就移居北京。要知道，主人不能亲自经营，在我看来是违背了开间小小咖啡馆的一个重要原则的。于是在请股东的妹妹继续照看了半年之后，一个志同道合的北京本地哥们儿表示喜欢这间店，并

且认同我们的主题，表示不会更换店名，还非常诚恳地到武汉来和我见过一次，希望我们出让。有这么合适的人接着照看第一间参差咖啡，我们就欣然同意了。现在，这间参差咖啡馆仍然在那儿，虽然并不在我的名下，我依然非常欣慰地时常关注它，也希望它永远存在下去。

　　第一间参差咖啡馆就以出让告终，现在看来有着某种必然性。至于接下来要分享的经营小咖啡馆的各种心得，其实也包括这间店的失败在内。因为喜欢王小波，因为一次快乐的远行，因为结交了三位新朋友，因为冲动，当然也因为喜欢简单，喜欢简单生活，喜欢咖啡，喜欢咖啡馆，非常幸运地，我开始了我的咖啡馆生活。做着做着，现在的我一天比一天更加肯定，这就是我想要的，这就是我心中理想的生活！

武汉第 0 间参差咖啡

　　家在武汉，我最大的梦想就是拥有一间可以步行抵达的小咖啡馆，北京那间 35 平方米的温馨可爱的小店圆了我的咖啡梦，却又不足以让我留在北京。于是，第一间参差咖啡馆在北京开业两周后，我就回到了武汉，咖啡馆也自然由北京的搭档打理了。

　　回到武汉，没有了所谓的事业，咖啡馆又在北京，远水解不了近渴啊。开一间真正属于自己的可以步行抵达的参差咖啡就成了我整天琢磨的事情。不过，我告诉自己，不能着急，慢慢找，慢慢想。到底如何让一间小咖啡馆能够轻松愉快地永续经营下去，以前我还真没有认真思考过。既然想开咖啡馆，一定要从泡咖啡馆开始，这肯定是没错的。即使现在名义上已经拥有了一间咖啡馆，还得去泡别人的咖啡馆，尤其是本地的，我认同的咖啡馆，这才是我心目中真正合格的咖啡馆主心态嘛。

　　于是，几乎每天下午，我都会出现在一间咖啡豆自家烘焙，咖啡新鲜地道，面积仅仅十二三平方米，招牌破破烂烂名叫"西北湖咖啡豆专卖店"的小咖啡馆。馆主是位祖籍武汉的台湾人，酷爱咖啡，号称是内地第一个做咖啡豆自家烘焙的台湾人。我开始光顾这间店的时候，小店已经存在了4年了。每天泡在这间小得不能再小的咖啡馆里，意外收获竟从天而落。我觉得我似乎慢慢泡出了一些经营咖啡馆的心得，进而还泡到了一个和我一样也想开咖啡馆的未来搭档。

　　所谓梦想，可能就是日思夜想，连做梦都在想的那件事情吧。事实证明，只要你走上通往梦想的那条路，梦想的实现应该就不会太远了。但是如果你总是仅仅停留在想上，那你的梦想就真的会永远只是一个梦，直到淡忘。泡咖啡馆遇到的这位新搭档是个行动派，对咖啡和咖啡馆都一窍不通，但说风就是雨，不出两周竟然请我去看一间要转让的咖啡馆。

　　这是一间在我看来根本不是咖啡馆的咖啡馆，名叫左岸咖啡，里面灯光昏暗，几对卡座安排得曲里拐弯的，分明就是给那些见不得光的偷情者们准备的私会场所。不过，吸引我的是面积，70平方米和我期望的差不多；更重要的是租金每月1 700元也不算贵；转让费3万

武汉第 0 间参差咖啡馆

元出头，含空调桌椅等所有店内物件，还算合理。

根据我在别人咖啡馆里泡出来的一点心得，我跟搭档非常自信地说，可以做，拿下。重新装修全部按我的意思来，店内增加了书架，改造费用的 1/3 用来买书，原来的卡座扔掉，原来的桌椅将就留用，深色窗帘扔掉，让整个房间窗明几净，窗外增加了木质露台和栅栏。就这样，回武汉仅仅一个月之后，2007 年 6 月 19 日，武汉的第一间参差咖啡就开业了，我和搭档一人一半，总投资 7 万元。

这间咖啡馆地处武汉水果湖区域，算是政治文化中心，周围大学、媒体、政府机关集中，看中它是因为：第一，转让费价格不贵，改造花费不大，租金也不高；第二，方圆 5 公里有所谓的目标人群。不过老实说，从一开始，我内心想要的只是一块试验田，因为我嫌它离家太远，开车去一趟得一个多小时，我根本做不到每天去泡自己的咖啡馆。之所以拿下，除了前面提到的基础条件吻合，我实在是迫切希望通过这间咖啡馆来证实我在西北湖咖啡豆专卖店里悟出的那点道理。当然，这个想法，我可没告诉我的搭档。

在这块试验田里，我加入了我自认为小咖啡馆必不可少的元素，那就是书。改造费用的 1/3 用来采购我自己喜欢的近千本书（有小一半是二手的）。原来昏暗暧昧的调子被我改造成了开放、明亮、温馨的格局。吧台就对着入口，每个客人进来都不会被忽略。客人和客人之间距离很近，一方面是因为店本来就不大，二来我认为小咖啡馆就应该便于客人与客人之间的交流，而不是像原来的那样阻隔，互相好像有什么不可告人的秘密似的。

小咖啡馆开业基本都没有条件和预算去大肆宣传，两周下来，除了一些亲戚朋友，基本没有什么客人，生意惨淡。搭档着急了，恨不得每天都要给我打电话，希望我能去坐镇咖啡馆，因为她认为我以

前做大生意，人脉会比较广，我坐镇就会呼朋唤友来照顾生意。对此我不以为然，虽然我也着急，但是我认为有这样一个过程太正常不过了，只要我们把自己该做的部分做好了，我坚信现在的冷清只是这个正常过程的开始，不会持续很久。

　　我依然坚持只在周末才过去看看，而且每次去我都会耐心地和她聊三个问题：

　　第一，即使每天没人进来，或者只卖一两杯咖啡，这样的状况我们能承受多久？答案很清楚，每月暂时无人工费用，房租、水电费用加起来大概 3 000 元吧，那就是每人每月纯亏损 1 500 元，6 个月呢，每人会需要累计支出 9 000 元，9 000 元对我俩都还不算什么大数字，只当初始投资是 88 000 元了好吧。这么一劝搭档就比较释怀了，一天没有人进来也不是世界末日嘛，店里这么多好书，放些好听的音乐，为自己煮杯咖啡，看书，或者东弄弄西弄弄，把细节收拾得更温馨，更舒适，让自己待着更舒服，不也是一种难得的享受吗？

　　收拾累了，再来杯咖啡，然后窝在沙发里打个盹儿，一天没收入反正也没什么大不了的。

　　第二，我们的咖啡好不好喝？价格是不是不算贵？答案也是很肯定的。当时我自己不会烘焙咖啡豆，用的都是西北湖咖啡豆专卖店新鲜烘焙的豆子，一杯咖啡 10 元起，可谓物美价廉无可挑剔吧。

第三，你喜欢自己的咖啡馆吗？待在里面你觉得舒服吗？答案自然也是肯定的。既然咖啡物美价廉，环境舒适，还有那么多好书可看，主人呢，并无特别的租金压力，没有每天因为焦虑而苦着脸，天天都在悠然自得地等着迎接每一位客人。那么，暂时还没有什么客人的原因，就只有一个了：他们还不知道这个地方！

这么沟通下来，其实我自己的思路也更清晰了。小咖啡馆是小本生意，当然不可能去做什么媒体广告，于是我做了 2 000 张 5 元代金券，标出地址，说明特色（新鲜烘焙，免费阅读和享受一个慵懒的下午之类的），请原来公司的同事帮忙，在咖啡馆周围 5 公里的范围内发放，目标人群 20~40 岁。代金券发完之后不久，和我预计的 3%~5% 的有效率比较吻合，果然，一个月后，客人渐渐多起来了，因为上面提到的三个原因，回头客也慢慢形成了。更有意思的是，媒体也不请自来替我们免费报道了，因为客人夸奖我们店的书选得不错，而武汉当时的确没有一间咖啡馆有这么多好书。

之后的几个月，我还是坚持每周只去一次，一是因为懒得跑，二

自制广告

是因为，我确信一个小咖啡馆的核心竞争力是天天出现在店里的那位老板，我既然做不到天天去，老板自然就只是我的搭档，客人们需要熟悉的是她而不是我。而我也不愿意靠我所谓的人脉去揽生意，因为我坚信，再广的人脉和市场需求这片汪洋大海相比，也只是一滴微不足道的水。

比如，武汉一个很有名气的电视主持人是我的好朋友，搭档说了多次希望我请他到店里来喝咖啡，当然也就是希望他的到来和推荐能够吸引更多的客人。可我就是一直不愿意这么做，直到有一天，我这位主持人哥们儿给我打电话，邀请我去一间很有特色，美女白领经常出没的，名叫参差咖啡的地方，我才乐呵呵地告诉他，那是我开的。这个例子说明，他也正是我说的社会需求的一分子，如果一开始我请他去，他一定会很好地扮演一个人脉的角色，仅仅认为是在照顾朋友的生意，而忽略咖啡馆本身的特色，不可能成为忠实顾客。谁要是希望被所谓的人脉照顾一辈子生意，那一定是脑子进水了。我坚信，对一个小咖啡馆来说，自然形成的回头客才是真正的核心客人。

半年时间一晃就到了，我照例收到一份电子报表，咖啡馆的营业收入稳步增长，当月盈利已经达到6 000元了。我想该是我退出的时候了，半年的时间下来，我的搭档看到了客人从稀稀拉拉到顾客盈门的全过程，她喜欢和客人交流，还和不少客人成了好朋友。而我也在这半年里证实了很多我的想法，开始形成一些所谓的理念了。

准备退出的原因也很简单，生意是人家守出来的，客人心目中她是老板，我所起的更多是心理支持的作用。每月6 000元收益是我认为一个投资不到10万元的小咖啡馆的合理收益，之后大幅增长的空间也有限，因为再忙一点就得开始请人帮忙，就有工资支出了。而6 000元两个人分，即使因为我不去参与看店，少分一点，对一个全部精力放在咖啡馆的人来说我认为还是少了。而如果6 000元全归一个人，我觉得在武汉就算一笔不错的收入了，值得店主乐呵呵地一直经营下去。

　　既然想好了，我就提出退出，搭档当时非常不解，大呼没有森哥的支持和鼓励怕接下来经营不好，我回答："你就偷着乐吧，按现在的盈利状况，就算是去借 35 000 元，半年也能有把握还清了，如果没钱赶紧借钱去吧，我还要去开真正属于我的咖啡馆呢。"看到这儿，大家也就明白了为什么本文标题叫做"武汉第 0 家参差咖啡"了吧。

　　一套所谓理论，还得在实践中反复验证，是这间咖啡馆给了搭档和我最大的信心。我的退出，其实是希望搭档在获得信心之后，还能够得到合理的收入。这两者都是一间咖啡馆永续经营不可或缺的要素。而我在实践成功之后，最想做的，还是开一间可以步行抵达的，可以每天泡在里面的，完全属于自己的小小咖啡馆。

酒吧里的参差咖啡

在水果湖的参差咖啡开业之后的半年里，其实我也没闲着。除了继续就近泡别人的咖啡馆，就是寻找合适的门面。找门面这事儿真有点可遇不可求，离家要近，价格还不能贵，位置又要容易被找到，转让费还不能太高，最好没有，要符合我的这些条件还真是勉为其难。

我住的地方是武汉的金融区，区域内目标人群非常多，出现空置门面的机会几乎没有。离我家步行 10 分钟就是新世界国贸大厦，武汉最好的写字楼之一，楼背后有一条小路叫新华小路，破破烂烂的。但是因为靠近大型写字楼，这条小路上开了好几个餐厅，生意都还不错，客似云来。好不容易发现有一间不希望租给餐饮行业的门面要转让，100 平方米左右，开口转让费要 15 万，月租 4 000 元。因为觉得租金还勉强能接受，开店的渴望驱使我去谈了两次，最后谈到转让费降至 10 万元。可是上一间咖啡馆总投资才 7 万元，这一个 10 万元出去才拿下一个空门面，要把店开起来，估计还得再来 10 万元，租金和投入差不多都是上一间的 3 倍，可是我真的有本事也用半年的时间做到上一间 3 倍的客流量吗？想来想去都觉得之前积攒的那点信心根本不足以支撑，还是放弃吧。

　　一天，还是在这条小街上，我在一间小酒吧里喝酒。酒吧老板是我的好朋友，每天晚上老板自弹自唱，吸引很多客人光顾，我一周起码会来个两三次。这天生意一般，我就和老板聊起在找门面的事情，本想搜集些信息，可聊着聊着，我突发奇想，找什么门面啊，这个酒吧不是现成的门面吗？位置没问题，就离我谈过的那个门面距离大约 80 米；面积 100 平方米，没有超过我心目中的设定面积；租金肯定低于每月 4 000 元（实际上是 3 000 元）；装修简约明快，是我喜欢的风格。白天把灯光处理一下，不需要怎么改变，就是间温馨的咖啡馆了。

　　主意一定，我就主动跟朋友提出，请他把酒吧的白天时间段租给我，酒吧每月 3 000 元租金我来出，水电费对半承担。这个提案估计连我的朋友都有些意外，白天本来就是闲置，凭空有人愿意把整个租金出了，每月白捡 3 000 元何乐而不为啊，而且白天的新客人有可

能成为晚上酒吧的客人，酒吧的老客人白天
如果需要，也可以有咖啡馆可泡，绝对的双
赢。而我提出这样一个合作方案的想法是，
租金看似应该我只出一半，如果我厚着脸皮
跟朋友说说，没准他也就答应了，反正他没
什么损失，但是因为没有转让费，全部使用
酒吧的设施，几乎不用怎么投入，我多出的
这 1 500 元就算是酒吧原有装修和设施的折旧
嘛，我觉得合理。

就这么着，我们一拍即合，按我提出的条
件，白天早 10 点至晚 8 点酒吧归我使用，变
成参差咖啡馆。我购置了咖啡设备和咖啡杯，
做了两个带门的大书架，在当当和卓越上恣
意采购了两万多元的新书，总共花了不到 3 万
元，只用了半个月的时间，酒吧里的参差咖
啡馆就开门迎客了。

那段时间，真是活得又健康又快乐。每天

2008/01/15

没有招牌，两块黑板就算招牌了。

门前海报

早晨 9 点起床，慢悠悠步行去开店。先挑张好碟子，用酒吧的专业音响放出来，再给自己煮上一杯香浓的咖啡。喝完咖啡，把晚上锁起来的书挑出一部分，放到已经铺好桌布的每个桌子上，随手拿一本开始翻阅，一天的咖啡馆生活就这样开始了。对于我来说，我还有一个上一间咖啡馆搭档没有的心理优势，那就是我对咖啡有瘾，每天至少要喝 3 到 4 杯，自己开了店，也就省了去别家喝咖啡的费用，里外里相当于租金又少了一千多元。当然这只是一种不错的自我安慰，没有客人来，咖啡馆的意义至少还是失去了一半嘛。

和上一间参差咖啡一样，已经尝试过的 5 元代金券早都发出去了，仍然没有客人来，这里就是我的书房、客厅、办公室。天气好的时候，我也会搬个椅子坐到门口，边喝咖啡边晒太阳，和隔壁看门的老大爷聊会儿天，守株待兔地等人上门。

这次的情况和上一间差不多，陆续有人拿着代金券进来尝试我的咖啡，对我挑的书评价也不错，不到三个月，咖啡馆就有一些老顾客了。每天喝咖啡，煮咖啡，看书，和客人吹牛，洗杯子，再喝咖啡，日子过得不紧不慢，煞是惬意。进入冬季的时候，我已经创下一天自己煮五十多杯咖啡，洗一百多个杯子，营业额超过一天 500 元的纪

录了。冷水很刺骨，但是心情愉悦，因为我的所谓理论再次得到了证实：好书、好咖啡、好价格、好环境、老板的好心情，有这几条兼备，生意就应该不用愁了。当然，再唠叨一句，租金和控制投入很重要。

　　一年时间很快，其间我还出门旅行了一次，咖啡馆就交给了两位也十分想开咖啡馆的熟客。因为是熟客，本来在我这儿就学会煮咖啡了，再突击强化培训了几次之后，我就放心地出门了。她们两位乐呵呵地轮流上岗，每天像照顾自己的店一样投入和用心。回来的时候我惊喜地发现，出门这半个月，店里的营业额一点都不输给我在的时候。

还有一件好玩的事情，咖啡馆里有一位老客人，是本地一本DM杂志的老板，他非常喜欢喝咖啡，对本地咖啡馆也特别关注。一天，他们杂志的工作人员拉广告拉到了我这儿，说是老板的意思，登一次广告2 000元，但不需要现金，可以用咖啡抵。这笔账很容易算的，不就是一百多杯咖啡吗，成本才几百块钱，喜欢我的咖啡我就很开心了，何况还能带来收益。于是，我一口答应下来，但提了个小小的要求，广告内容必须我自己来，我想写一篇文章，说说我对咖啡馆的理解。对方第二天答复说让我写好了给他们看看，谁知道这一写竟然一发不可收拾。DM杂志的老板看了我的文章，当即提出第二个月换一种置换方式，我每月给他们写一篇专栏，谈咖啡，谈生活，可以变相宣传参差咖啡，没有稿费；原来的每期2 000元咖啡券他们也不要了，算是稿费和咖啡相抵。好啊，按成本，我一篇文章稿费能值个好几百块呢，加上我本来就有表达欲，平时没客人的时候，在咖啡馆看书打盹儿，闲着也是闲着，成交！

开一间咖啡馆，只要压力不大，的确是件轻松愉快的事情。这间酒吧里的参差咖啡，投入少，压力小，除了每月保证能交上租金，很快就略有盈余了。一年下来，书看了不少，朋友也交了不少，留下了很多美好的回忆。不过，非常遗憾的是，现在这间酒吧里的参差咖啡也已经不复存在。因为小酒吧的老板一直惦记着开一间更大些的，合作一年后，他准备把小酒吧转让。新老板一来肯定要重新改造，人我又不认识，正发愁快乐时光不能延续，又得去寻找门面的时候，一位在新世界国贸大厦里办公的老客人提供了一条信息，正好帮我在时间上衔接起来了。

原来，新世界国贸大厦一直希望在其公共服务层引进一间有文化气息的咖啡馆，为在写字楼里工作的人们提供公共休憩服务。怎么才算有文化气息的咖啡馆呢，估计他们也不一定思路很清晰。于是我带着写了快一年的专栏和我对书与咖啡结合的理解去和他们沟通。不出所料，立刻得到他们的认同，双方一拍即合。于是，正好一年之后，酒吧里的参差咖啡找到了新的安身之地，搬进了写字楼。据说，这是武汉第一间写字楼里的咖啡馆。

我的第一间参差咖啡馆

北京的第一间参差咖啡，远水解不
了近渴；武汉的第一间参差咖啡，我退
出了；依附于一间酒吧的参差咖啡现在
也没有了，所以严格来讲，这间开在新世
界国贸大厦写字楼里的参差咖啡才是第一
间完全属于我自己的咖啡馆。

从 2007 年 5 月开始想到开一间小
咖啡馆，到 2008 年 8 月完全属于我的
参差咖啡搬进写字楼，时间已经过了 15
个月。写到这里，我想起了著名旅行
书《LONELY PLANET》（孤独星球）的
创始人托尼·惠勒说的那句关于旅行的

参差咖啡国贸店的海报

话："All you've got to do is decide to go and the hardest part is over，So go！"意思是：如果你已经决定出发，关于旅行最困难的部分其实就已经过去了，出发吧！我开咖啡馆的经历不是也正好证明着这句话吗？

到今天，这间我们已经习惯叫它"参差咖啡国贸店"的写字楼里的咖啡馆，我在武汉的第一间真正完全属于自己的咖啡馆，已经开了快 4 年了。下面是一篇之前提到的那些专栏文章之一，叫做"金融街上空的咖啡时间"，是为参差咖啡乔迁而写的，是我对写字楼里能不能开咖啡馆的一些思考。参差咖啡国贸店，实用面积不到 70 平方米，租金价格是普通租户的一半，这就是我在专栏文章里大赞新世界国贸大厦的原因，当然这也是我同意搬进去的重要原因。如果租金上得不到政策倾斜，超过我的基本底线，在写字楼里开咖啡馆肯定是有风险的。单单是周六周日休息，一周内有两天写字楼里基本没人，高租金就会让咖啡馆无法承受。

当然，当时我决定进驻写字楼还有一个原因是，我认为朝九晚五，周末休息是可以接受的好事，一间小咖啡馆本来挣不了什么大钱，只要租金不高，没有风险就好。离家近，冬暖夏凉的，能挣到几千块钱，就是一间挺好的自雇型、生活型小小咖啡馆。

2009 年 9 月，也就是国贸店开业一年后，我接到了同属新世界集团的新世界中心写字楼的邀请。事后得知，经过一年的观察，他们认为参差咖啡实现了他们邀请我进驻的初衷，楼内顾客的评价都非常高，于是他们才有了在其他写字楼里也开辟出一间参差咖啡的想法。这也再次证明了，做好自己喜欢的事情，不必去预设什么，反而会有意外的收获。

到现在，这两间写字楼里的咖啡馆都已经经营了 3 年以上。喜欢它的人越来越多，渐渐形成了口碑，有人告诉我，新世界写字楼里有这么一句话在流传："我不在参差咖啡，就在去参差咖啡的电梯里"。

金融街上空的咖啡时间

奥运会结束后的第一个周一（这纯属巧合，我可没有有意去避"运"），一直标榜自己不是在做传统的咖啡馆，而是在推广生活方式的参差咖啡，搬进了金融街的标志性建筑之一，新世界国贸大厦。至此，从 2007 年 5 月 13 号，著名作家王小波诞辰 55 周年纪念日，参差咖啡北京魏公村店正式迎客开始，经历了 15 个月的咖啡生活，我终于有了一间完全属于自己的咖啡馆，当上了真正的咖啡馆小老板。当参差咖啡开始飘香武汉金融街上空的时候，当可怜的格子间精英们有了一个可以在忙碌之中停顿休憩的小角落的时候，我又可以关上手机出趟远门了，目的地云南、海南或是新疆随便，只要够远，旅行的快乐在于，在路上。

如果说，之前的参差咖啡一直躲在城市的角落里，漫不经心地述说一种我们想要传达的生活理念，那么新世界国贸大厦里的参差咖啡将成为一个近距离表达的好地方。参差咖啡来到了最需要它的人群身边，而我们想要用力表达的就是："你，需要咖啡时间"。参差咖啡的飘香提醒着整日埋头工作不见天日的人们：停下来，休息一下，来杯咖啡吧！片刻的休息和遐想其实也应该是工作的有机组成。甚至哪怕只有 10 分钟的短暂停顿，在我看来意义都极为重大，它的珍贵在于，显出你与高智能机器的区别，你知道中断程序，对自己好一点，而机器做不到，只会不停运转，直到被用垮为止。

我的一个好朋友在转送我给他的参差咖啡免费品尝卡片的时候，美其名曰"送你最想要的，时间"。多好的创意啊！比起送名牌内裤、名牌袜子、名牌香水，送张咖啡券，零成本又意味深长，让人受用且回味。难道不是吗？在物质丰富，信息泛滥，压力巨大，总是步履匆匆的都市里，时间不正是很多人最稀缺的吗？正因如此，咖啡时间出现在金融街的上空才让我激动不已，参差咖啡在钢筋丛林里植入了一块小小的绿洲，让身心超负荷运转而不知如何释放，

咖啡馆里的书架

甚至以忙碌为荣的大中小白领们可以跳开枯燥乏味的表格报表，远离冷冰冰的办公设备，拉近冷漠现实的人际关系，找到一个温暖去处，回归自我和本真。

在这间咖啡馆里，我们非常刻意地安排一堆不励志又不实用的闲书，挂了一大堆足以勾引你独自旅行梦想的招贴和照片，还有很多参差多态、极具创意的小玩意儿，希望你抽空来捧着醇香的咖啡发会儿小呆，不经意地发现生活中的乐趣。看过一个老外研究休闲学的文章，里面说："休闲提供的不是一条愤世嫉俗的现代意义上的逃避之路，而是一条回归之路，即返回到健康、平衡的天性上来，返回到一种崇高而和谐的状态上来。在这种状态中，每个人都会真正地成为自我，并因此而变得更好和更幸福。"好吧，参差咖啡就是在为这样紧张工作，处于高强度压力下的人们提供急需的休闲。

记得王石曾经在回答为什么登山时说了一个很多人都没有意识到的常识，大概意思是，休闲玩乐才是一个人毕生的追求和目的。工作，努力地工作，都是为了这个目的而不得以为之的。"不得已"可能是我加上去的，因为我强烈地认为这是应该被普遍接受的常识。当然，遗憾的是，错的东西广泛流行并被广泛接受在中国是常有的事情，我没有那个本事扭过来，但我可以来个贴心唠叨："歇会儿吧，对自己好一点，来杯咖啡吧，其实柚子茶也行，我不强卖我的咖啡，我们卖给大家的是时间和舒缓，卖给大家的是停顿一下的借口！认识到工作乃是不得已的事情，把工作的过程搞得有点意思就很有必要了，否则一想到为了一次旅行得埋头工作，如牛一般奋斗半年甚至一年，是不是想死的心都有了，哈哈哈。"

写到这儿，得提醒一下亲爱的老板们，千万别只相信自己的眼睛，非要看着大伙不眠不休埋头工作才安心，其实大家都走着神呢。咖啡时间最早是老美发明的，那儿的老板知道，虽然员工花十几分钟喝咖啡去了，但再回来的时候，效率绝对是提高了，这才叫理性思考，和谐共赢嘛。还有，你让他们在工作中有了生活的气息，他们可能就会在生活中也想着你的工作，甚至把你的工作当成他自己的工作。

　　最后借这个不容易的话语机会，隆重表扬一下接纳参差咖啡的新世界国贸大厦的管理者，因为他们以优惠的条件邀请参差咖啡进驻，让我感受到了什么是国际化，也开始相信武汉会越来越好。看起来扯远了，其实不。什么是国际化？合理的，理性的，睿智的，被全人类接受的普世价值观指引下的思维方式，生活方式，行为方式就是国际化。国际化不一定摩登，比如陶渊明式的田园生活方式就很国际化，老外们羡慕得要死。我生是武汉人，死是武汉鬼，希望这个城市越来越让人舒服。我反感国际化在土鳖官员和财主嘴里总是好像很神秘，还很遥远，很用力才能触及。你看，为在写字楼里为贡献GDP而忙碌的客户们提供公共咖啡空间和咖啡时间，看起来不是一个难作的决定，但偌大的武汉，还是被香港同胞管理的新世界国贸大厦先想到了。看来想国际化先就近向香港同胞学习学习吧。

　　最后要说的是，我写上面一段肯定被人看出来了，表面是夸新世界国贸大厦，其实是想在更多的高档写字楼开参差咖啡。哈哈，我承认，给我同样优惠的条件，我愿意的。而且最后，还要强行来段广告："咖啡应该用硬币来支付，所以，如果不是因为租金还是有点高，10块钱一杯我都觉得很贵！还好，10块钱的瘾，大家都承受得起。所以，我们别有用心，只想用一杯醇香廉美的新鲜咖啡，让您成瘾，每天抽10分钟，来用咖啡灌溉一下心灵吧。"

如何让梦想照进现实

2007 年年初，因为当时公司的业务发展需要，去过一次澳大利亚，在墨尔本的一个公园里，我偶然走进一间非常梦幻的，全玻璃结构的花房，当时就想，要是能坐在这样的环境里喝咖啡，那该多么舒服安逸呀。不过，我很肯定，那时候，这个想法只是一闪念。当时绝不会想到，三年半以后，2010 年的 6 月，这个一闪念的梦想竟然变成了现实。下面是我梦想成真的时候激动之下写的一篇日记。

"做人如果没有梦想，同咸鱼有什么分别？"这是周星驰在《少林足球》里的一句台词，我非常喜欢他拿咸鱼来做比，一联想到身边常常出没的视梦想为空洞虚无之无聊议题的那些人，我都忍不住想笑。咸鱼，就是被腌制的死鱼，真形象。

受王小波的影响，我也深切地认同，这个世界如果没有有趣的事情，我宁可不活！如何发现有趣和制造有趣，和梦想是息息相关

的。换句话说，梦想是有趣的沃土，有趣是梦想的果实。王小波还说，人除了要有一个现实的世界，还应该要有一个诗意的世界，我觉得，所谓诗意的世界，梦想就是其中的空气。

很多人活得过于现实，认为梦想与空想无异，不切实际，有梦想反而是自寻烦恼，不如活得现实点，多想无益，多谈无聊。我严重反对这种态度。梦想只要是始于你内心真实的喜好，一生中，有那么一些事情，能让你全情投入，不计回报，甚至到了忘我的境界，那就值得恭喜。因为，梦想就算是没有最终实现，也没什么害处，起码它是人类的专利，咸鱼当然不会有。更极端一点，在我看来，没有梦想，是无法活出个人样来的。如果你在心里搜索了半天，并没发现自己有十分要命的喜好，而你还非说你最真实的喜好就只在吃喝拉撒睡的范畴，那我只好在此声明，我不和被腌制的死鱼理论。

其实，梦想就像一粒种子，把它深埋在心里，然后，给梦想的实现一个理性的周期，一年、两年、三年、十年，让它慢慢地得到滋养。自然界的开花结果自有它的规律，梦想也是一样，耐心的等待是必不可少的，而且这种等待并不妨碍你去实现。千万不要以为什么都要在你掌控之中，也不要以为所有的梦想一定都不切实际。你可以成就什么，你自己都不一定知道。我敢肯定，在中国不好说，但是历任美国总统绝对没有一个是从小就扬言长大要当总统的。

　　一个北京的哥们儿，常常听我神侃各种设想、计划，一年有十好几个。久久不见我实施，于是逢人就介绍，说我是最不靠谱先生。此时想想，倒是可以跟他这样理论一番：深埋一粒种子，时常浇水施肥，让它慢慢发芽，让它慢慢地生长，慢慢枝繁叶茂，等着它开出一朵朵不一定靠谱，但是同根而生的梦想小花。只要你不是现实得急不可耐，一点耐心都没有，总有一天，会结出一颗颗大大小小的果实。想要开间咖啡馆就是我很多年前的梦想，而北京方家胡同的这间参差咖啡馆不就是这些果实中的一个吗？说我不靠谱的这个哥们儿，其实就是我北京这间胡同咖啡馆的搭档，他爱这个漂亮的胡同咖啡馆爱得不得了，此时此刻，他不是正在美滋滋地品尝着我的不靠谱牌梦想奇异果吗？

　　记得是2007年年初，在澳大利亚的墨尔本，无意中走进了一个非常惊艳的花房，当时就想，要是能坐在这里面喝咖啡，那是件多美的事情啊！自此，开一间花房咖啡的梦想种子就埋在了心里，要知道，播下这颗梦想种子的时候，离我开第一间参差咖啡还有几个月呢。在随后的3年里，参差咖啡陆续开了6间了，每次都想把花房咖啡的梦想硬塞进去，甚至有朋友想开咖啡馆来找我参谋的时候，我也不忘给出搭个玻璃屋子，满屋子都种花的建议。只可惜最终都因为各种原因而没能实现。

我家附近，西北湖边有一间叫小美园艺的玻璃屋子。平时在咖啡馆里也常常爱跟客人们唠叨，谁要是能帮我租下这个房子就太好了！没曾想，3年后突然有一天，收到一个朋友的短信，问我是否确定对这个玻璃房子感兴趣！Oh，My God！

说到这儿，大家应该知道，我说的就是即将开门迎客的参差花房咖啡了吧，这间林中咖啡馆是真正的玻璃屋花房咖啡馆！可能是武汉唯一的透明的咖啡馆！这个咖啡馆将成为我的梦想容器：花花草草、好书、大树、躺椅、吊床、藤编、原创明信片、老家具、户外BBQ、新鲜咖啡、粗布、美人、树荫、阳伞，还看得见湖景……所有梦想过的美好，全都装进去！梦想，在一千多天后照进了现实！

　　后记：参差花房咖啡是我 2010 年最得意的杰作，朋友也一致认为这是我最钟爱的一间参差咖啡。不过，对参差咖啡以后的走向起了决定作用的还是位于武汉光谷的参差咖啡书屋。在开这间面积 200 平方米月租接近 2 万的咖啡书屋之前，我一直不认为自己是在做品牌，最多是满足一点儿到处都有参差咖啡的虚荣心而已。我的心目中，咖啡馆的确就是个自得其乐的玩意儿，正如有些朋友说我，连开几间参差咖啡完全是为了满足我自己的装修欲，这一点我还真不否认。因为咖啡馆命名为参差，取自罗素的"参差多态乃幸福本源"，既然我们追求参差多态，每间咖啡馆我都可以因地制宜随心所欲，不必统一风格，不必墨守成规，除了名字，其他都可以不一样。所以开每一间店都不觉得累，反而觉得挺好玩。本来，就这么玩下去不是挺好的吗，直到再一次机缘巧合，有了参差咖啡书屋，我的想法逐渐有了些微妙的变化。

参差咖啡书屋是个意外

　　以下是 2010 年 8、9 月份开办参差咖啡书屋时的心情记录，内心充满矛盾，开这么一间大店肯定是有违 3 年前开咖啡馆的初衷和自己制定的一些原则的。但是随着越来越多同事的加入，随着参差咖啡书屋越来越被肯定，我想，这个决定是对的，不应该后悔。这间远远超过 100 平方米的店只是所有参差咖啡馆里的一个特例，它不是我自己一个人的，它是属于大家的。既然开了，既然大家需要，我会一直开下去，但不会想去复制。

参差咖啡书屋是你们的

原来写过一篇文章叫《小的是美好的》，

里面提到，咖啡馆注定是小的，

租金太高，面积太大的话，每天操心能不能保住费用，

怡然自得的调子就很难做得出来。

如果每天租金水电人工都保不住，老板脸上迎客的笑容很难不是挤出来的。

参差咖啡 3 年来已经在北京和武汉陆续开了 7 间，

每个店都不大，100 平方米以内，这个面积已经成了参差咖啡的上限。

投资不大，费用不高，非常温馨，也没什么好太操心的。

每个店有一个喜欢咖啡的准老板，

我不在，她或者他就是老板，客人依然宾至如归。

我每天可以去一个店，最多去两个店坐坐，聊聊天，喝自己烘焙的咖啡，

也可以就待在生意不太好的某个店里看一下午书，打个盹儿。

一年飞到北京一次，在胡同里住下，

每天骑自行车到胡同里的参差咖啡做店小二，

请一年见一次的老客人喝啤酒，号称："快乐也是利润"。

就这样，日子过得悠闲自在。

这次在光谷开店，违背了自己坚守了 3 年的原则，

筹备期间，很累，很辛苦，要想的事情很多，悠闲不再，

装修过程中不止一次地痛骂自己，干吗不坚持原则，冲动个啥?

开这个店是个意外，也是机缘巧合。

店原本是朋友开的华社百年书店，经营得不好，

请我来看看能否在店里增加咖啡，

待看到这间书店里书目鱼龙混杂、良莠不齐的时候，我一下子冲动了!

我喜欢看书，有生以来除了买房和车，累计最多的消费就是旅行机票和书了，

每一间参差咖啡里都有很多书，能肆无忌惮地买书，也算是参差开了这么多的原因之一吧。

看到在光谷这么好的位置，唯一的书店里堆了这么多乱七八糟、胡言乱语的书，能不冲动吗?

书店经营难，看起来是个大趋势，但我总觉得，坚持不卖烂书，好书店是能在咖啡香中复活的。

就这样，一冲动，我就决定试试，不试试我不甘心啊，我就不

信，好书加好咖啡不能生存！

更让我持续冲动的是，当参差要在光谷开咖啡书屋并需要大量兼职的消息在豆瓣上公布后，一篇篇文采飞扬的自我介绍蜂拥而至，字里行间流露着对咖啡书屋这种环境的热爱。

大家对咖啡飘香的书店的那种持续的热情，让我多少有些意外，同时又非常兴奋！

大家需要这样一个地方啊，朋友的这间书店，如果我懒得理会，肯定就此关张，

虽然与我无关，但喜欢书，喜欢咖啡书屋这种环境的人们还要等到什么时候呢？

思前想后，冲动就变成了每天差不多花两个小时武昌和汉口来回奔波，真叫一个累！

当然，累归累，选择是我自己作的，没什么好抱怨的，

在这里叫苦也不是我的主要目的。

要知道，在装修、筹备的过程中，一批又一批报名兼职的丫头小子们也跟着我任劳任怨，

他们在为他们心目中理想的能读书的咖啡馆出力出汗。

看着他们弯着腰拖啊拖，擦啊擦，大热天的忙前忙后，忙进忙出，

尤其书又特别重，每个人都累得不行，但是毫无怨言，

参差咖啡书屋是大家的。

他们为什么？难道仅仅是为了一份收入并不高的兼职工作吗？当然不是！

看看他们，想想还有那么多投了简历希望来这个环境工作的，喜欢这样一个空间的人，

我觉得这间违背原则的大咖啡书屋就算错，也要坚持！

参差咖啡书屋不是我个人的，是你们的，是大家的。

胡乱写这个东西，希望参与筹备的每个人都能看到，真诚感谢各位的出力，

没有你们，参差咖啡书屋现在是什么样子还很难说呢。

因为大家的喜欢，我们会投入尽可能多的心思，一步一步，和大家一起，

把这个大一点的参差咖啡书屋，也做成和之前的那些小小的参差咖啡馆一样温馨舒服，

让更多的人能来此受益于好书，享受美好的咖啡时光！

再次感谢参与筹建的每一位！

坐在参差咖啡书屋的角落

2010-09-04 00:49:09

晚上不堵车，23点锁门，开车回家，到家一看只用了30分钟。

今天一大清早去麦德龙采购了一车物料，收银的小姐在偷笑，

问她笑什么，她说我买的都是女孩子买的东西，哈哈，嘿嘿!

又是劳累的一天，回家的路上有点恍惚，都不记得怎么开回家的。

试营业期间是22点打烊，不过今天特意一个人留下来，

选了柴可夫斯基《悲怆》里的小提琴段落，

就着咖啡余香，瘫软在懒人沙发里，

环视咖啡书屋的每一个角落，长吁一口气，

既对半个月来的辛苦感到小小的满意，心里多少还是有点惴惴的。

灯光还要调整，书籍要大面积更新，二楼还空着那么多书架!

明天一定让装修公司来换灯，

等到咖啡、西点出品都准备妥当了，又得去当搬运工搬书了，

好书是这里的灵魂，最多休息两天，一定搬来大量的好书!

本来应该准备得更充分一点再开业，

可惜业主不管你是不是薄利的书店，租金每天600照收不误，

够吓人的!

因为匆忙，还有什么细节没有想到呢？

大家会喜欢这里吗，这里会是爱书之人理想的精神家园吗？

明天还有很多人来面试，目前的兼职多是想在周六周日工作，

希望也能有一些周一到周五来工作的兼职。

后天有荐书沙龙，希望来的人多少有些收获，

参差的出现，就是希望能给大家一个实现参差多态的平台。

这一段忙完之后，要持续不断地组织很多有趣、好玩的活动……

哎呀，什么时候我才能怡然自得地靠在角落里看书，看那些看书的人呀？

后记：参差咖啡书屋一晃也开了一年半了，经营得还算正常，略有盈利。但是和隔壁的麦当劳和眼镜店相比，咖啡书屋仍然不是个什么正常的生意。之所以能在这个租金很贵的地方生存下来，除了我们的心思，还有一个重要的原因是，这个区域有大量的高校，学生们有空就会到这一带聚集。如果没有这个特殊性，这样的咖啡书屋仍然是很难生存的。因为这间咖啡书屋，参差咖啡聚集了更多热爱咖啡，热爱书的好同事，他们的出现，让参差咖啡有了更多的可能性。一年以

后，当他们可以把参差咖啡书屋照顾得很好的时候，2011 年下半年，参差咖啡竟然一口气又开了 4 间，这么做的原因之一，大概是我觉得我已经开始有能力带着更多志同道合者一块玩了。

参差书虫咖啡　　　参差邂逅咖啡　　　参差货柜咖啡　　　参差咖啡西点厨房

参差咖啡书屋　　　参差旅行咖啡馆　　参差咖啡小博物馆　　参差花房咖啡　　参差阳台咖啡

参差咖啡的各种可能性

参差咖啡馆的各种可能性

上联："宁做一只特立独行的猪"，下联："不做一个循规蹈矩的人"，横批："参差咖啡"。在朋友酒吧里开参差咖啡馆的时候，很想把这个不伦不类的对联挂在门口，最后还是没敢。一来是害怕很多人对王小波的《一只特立独行的猪》这本书不太清楚，因而会觉得这个店有点变态；二来，对"参差多态乃幸福本源"这句话的理解，我有自己的底线，就是不能参差到妨碍了别人，尤其是现在的人大多不太有时间和心情幽默，而且比较脆弱，这样容易引起歧义的玩笑不开也罢。

"参差多态乃幸福本源"是我多年来最好意思反复引用的一句话，英国大哲学家罗素说的。道理说得简单，但做起来好像还有点费劲。所以我常常提醒自己，不仅要自己参差，还要号召大家都参差，于人于己都没有坏处。在这个不太流行座右铭的时代，感觉想起座右铭这个词都有点土，好在我深切领会了罗素老先生这句话的含义，也就不太在乎了。

2005 年我到法国小住过一段时间，对这句话的感触又深了很多。在那里，我看到了因为参差而美丽，因为参差而幸福的种种物、事、人，心存嫉妒。回到国内再看看周围，要么凡事趋同，要么极端恶搞（本质上还是缺乏创意和新意），老毛病又开始发作了。于是就有了"参差中国网"，我还给这个网站起了个很好玩的域名www.byyyd.com，取"不要一样的"拼音首字母而成。用普通话念出来，就是"我我我不要一样的"。不过很遗憾，这个网站现在已被取消了。

　　刚开始做网站的时候，我充满激情，恨不得把这世界上因为不一样而美丽的东西都装进参差中国网里，有大自然的、平面设计的、建筑设计的、生活方式的、思维方式的等等所有我能想到的。心想咱先展示出世界因为参差多态而美丽，做个不言而喻的铺垫，再来倡导我们生活的世界实在是太需要参差多态了。尤其是在我们中国的文化背景下，老教人夹着尾巴做人，木秀于林，风必摧之，躲在人群里面才安全，最后搞得大家全都一个样，生活自然少了很多乐趣。这还不要紧，更糟糕的是，孔子云过的："君子和而不同，小人同而不和"，如果因为都一样而导致大家互相厌恶，进而不和就不好了。也不知道这么宏伟的愿望能不能实现，做做看嘛。网站做着做着，突然发现我这生活状态其实就不够参差，每天盯着电脑本身就有些不够参差。于是，参差咖啡馆顺理成章地就出现了。自己咖啡也喝了，网站也办了，还和各色朋友交流了，顺便让参差多态在咖啡馆里发芽，在参差咖啡馆里进行。

既然追求参差多态，咖啡馆自然也要和别的咖啡馆不一样，当然，其实也是为了满足自己肆无忌惮买书的欲望(看书本身就是和不同作者的交流，也是参差多态的源泉)，于是参差咖啡馆里有了很多好书。这些书本来只是出于自己的私心购买，不曾想却成了参差咖啡在武汉的显著特色之一。因为书，参差咖啡成了媒体争相报道的特色咖啡馆，不敢说我们的书有多好多全，别家也可能有书，但是没有像我这样用心选书而已。

尝到了差异化的甜头，在接下来的参差咖啡馆里，我更加乐此不疲地开动脑筋。只要有机会开新店，除了提供足够的好书之外，我都要事先想好一个不一样的主题，好在我们叫参差咖啡，参差多态嘛。客人们也就不奇怪我们的天马行空，反而会有所期待，下一个店又会是什么样的呢？

继 2008 年、2009 年在写字楼里实现了我自称的空中参差咖啡馆后，2010 年我又有了参差花房咖啡，全玻璃的，尤其是晚上，看起来有点梦幻。参差花房里面种满了各种植物，摆了很多跟植物有关的花器，为了应景，我还买了很多和园艺、花花草草有关的书。咖啡馆外面有树木和空地，于是只要是晴天，我就会把从柬埔寨背回来的草编吊床挂起来，自己躺上去，既享受了还成了活广告。很多新客人就是因为羡慕嫉妒恨我这么舒服的状态而冲进来喝咖啡偷懒的。必须承认，参差花房咖啡是我所有咖啡馆里最不上心的一个。原因很简单，它太容易招人喜欢了，路过这里的正常人都会被吸引进来。

　　2011 年最让我得意的参差咖啡馆算是参差货柜咖啡了。知道创意有价，但没有多少直接体验，参差货柜咖啡的创意终于让我体验了一回。武汉汉阳区有一个老旧厂区改造的创意园区叫汉阳造文化产业园，折腾了两三年才稍微有了些起色。园区里大树成荫，是武汉难得的一块闹中取静、空气新鲜的三镇交汇地带。因为听说里面还有一些独立的小院子出租，而开间有院子的咖啡馆一直是我心里惦记的事情，于是有一天抱着捡便宜的侥幸心理去汉阳造转转，结果别说是院子了，连普通的厂房改造出来的门面都没有了。看着园区里面已经小成气候的风格各异的很多创意工作室和已经清新优雅的环境，我实在

晚上的参差花房咖啡

参差货柜咖啡

舍不得离开啊。转着转着，我发现了一片大约 100 平方米的空地，驻足良久，突然来了灵感。

我的想法是，没有院子，也没有门面，我只要这块空地。我去买两个废旧的集装箱回来往空地上一搁，房子不就有了吗，而且这里是创意园区，园区应该会喜欢这个创意的，而且他们应该就能说了算，不会有城管干涉。果然，园区本来就需要咖啡馆这一业态，正发愁没有合适的地方，我的想法一提出，连他们都兴奋了。二话不说，同意把我看中的那块空地租给我。因为是空地，租金标准没有参照，可能因为他们也对一个用集装箱改造而成的咖啡馆有所期待，最后这 100 平方米空地的租金定为每月 1 200 元，水电他们还给接到我指定的地方。

找货柜着实还费了不少工夫，网上查，电话问，连长江航运集团都问了，虽然费尽周折，最后还是被我找到了一个货柜，运输虽然也费了些周折，但终究是把货柜架到了指定位置。可惜只找到一个货柜，室内面积 30 平方米多一点，但是小的是美好的，好好规划布置一下也挺不错的，天气好的话大家还能坐到外面晒太阳。

虽然参差咖啡这两年在武汉已经有些名气了，很多媒体都表示参差咖啡出镜率太高不好再报道了，但是这次参差货柜咖啡一开张，媒

参差旅行咖啡

参差阳台咖啡

参差书虫咖啡

参差邂逅咖啡

体还是纷至沓来，连中央电视台到武汉做"辛亥革命汉阳造"的专题报道，都把参差货柜咖啡当做了拍摄背景。我得意地笑了，这就是参差多态的妙处，差异化的好处。借着这个兴致，我结合两个写字楼里参差咖啡馆的基本特征，开始思考新的塑造方向，把新世界国贸大厦的参差咖啡改造成了参差咖啡小博物馆，让店里充斥着各种和咖啡相关的东西：设备、容器、图片、书籍全跟咖啡有关，还提供咖啡一对一教学。

另一间写字楼里的参差咖啡则因为面积和布局比较适合做沙龙，而我一直对"参差旅行"的开展有所企图，干脆就把这一间改造成了参差旅行咖啡，堆砌了很多关于旅行的书籍，将客人们到各地旅行拍的好照片搜罗来贴在大大的世界地图上，不定期举办新、奇、特的自助旅行分享会，特别精彩的旅行路线还可以入选"参差旅行"路线，由我介绍给其他客人。今年春节如果不是要写这本书，第一次参差旅行——越南美奈风帆冲浪之旅就已经成行了。在此对已经报名想和我一起去越南的朋友道歉了，今年，一定至少给大家安排一次好玩有趣的另类参差旅行。

2011 年，参差咖啡沿着这个思路，还开办了参差阳台咖啡馆，整个咖啡馆就是几个大小阳台，植物和鲜花布满咖啡馆，以此来提醒客人们亲近自然，告诉他们自家的阳台也可以做得像我们的这样美好，提醒客人们生活起居可以通过被你忽视的阳台延伸到户外。

到 2011 年年底，参差书虫咖啡馆，武汉最大规模的文华书城里的参差咖啡馆也开业了；参差邂逅咖啡馆，只许单身入内，创造因为书而相遇的咖啡馆也即将开业；2012 年，参差书墟咖啡，二手书主题咖啡馆将完成改造；参差西点厨房咖啡也将完成改造，内设烘焙教室，教客人在家里烘焙饼干西点；然后，还有参差校园咖啡，这是我一直的梦想，每一所大学难道不需要一间好的咖啡馆吗？

待这些参差多态的咖啡馆一一实现之后，小小咖啡馆还有什么其他可能性呢？参差巴士咖啡馆！参差火车咖啡！这些东西太难找，但是我还不死心，慢慢来吧。还有，参差阁楼咖啡馆，参差屋顶咖啡馆，参差树屋咖啡馆……反正，小小咖啡馆就是有这么一个好处，只要你有心，实现各种可能性都不是那么艰巨的事情，你说呢？

「因为有你
所以参差」

草莓音乐节现场，参差帐篷咖啡

泡泡的武汉咖啡之旅

　　以下是参差咖啡北京方家胡同店的搭档泡泡 2008 年在完成了武汉咖啡之旅后写的咖啡游记，多少可以侧面反映出参差咖啡一路走来的点点滴滴，也可以窥探出一个咖啡馆迷观察的角度。征得当事人同意，节选了其中一部分，再配上我的背景介绍，在这里和大家分享。值得注意是，这里面包含了两间现在依然存在的参差咖啡馆，但其实是失败的案例。

　　上周去武汉玩了 3 天，主要是去看森哥还有看看参差咖啡在他的推动下发展和经营的情况。这次主要记录一下对开咖啡馆的理解。店看了好几个，先从参差说起。第一家是武昌这边的水果湖店。来到这里的第一感觉是太棒了，这是一个完美的环境，门前大片芳草地，远些是一片安静的湖。当时很难想象如果在北京也有这么一间小店的话，它能为我增添多少快乐。

你闻过研磨咖啡豆时的那种醇香吗？我现在很喜欢。煮咖啡时散发的香气又是另一种味道了，一样很吸引，有机会你闻上它一天看看是不是很享受。

这间店谈不上什么装修风格，但是每一个角落看上去都让人觉得还不错，蛮舒服，我留下了很好的印象。要不是我全身被淋湿又被风吹得很冷，我可能要在那里多坐一会儿。这里也有它自身的不完美处，这个房间朝东，除了上午有一些阳光以外，其他时候就不能见到光了。没有了午后阳光洒进来的那种懒洋洋的感觉了，而我最喜欢的一件事物就是阳光。

参差咖啡水果湖店：开店不到一年，周边环境很美，附近有些写字楼和小区。店面 70 平方米左右，没有供暖，全靠空调，有卫生间。房租不到 2 000 元每月，转让费 3 万元左右，装修改造 1 万元左右，添置书籍 1 万元左右。森哥的搭档负责看店，她休息时换自己的朋友来看店。目前每月盈利 5 000 元左右。

长江日报路落落的店

落落父亲的店

有个小姑娘叫落落，她的爸爸因为一篇关于参差咖啡的报道认识了森哥，看到森哥在致力于咖啡和书的事业后，决定帮助自己的女儿开间参差咖啡小店。落落本身喜欢咖啡，又不喜欢墨守成规按部就班的工作，于是辞职全身心地投入经营自己的小店。用她的话说，因为对每天上班的生活无法再忍受，遂决定解脱，为自己工作。我去的这几天正赶上她的参差小店即将开张，当然要去看看。这间店在汉口，正对面是武汉的长江日报集团大楼，和媒体这么近，应该有很多喝咖啡的客人吧。这个店的感觉与水果湖的有很大区别，开在人来人往的地方，可能路过喝一杯的人会比那边多一些，但是享受悠闲时光的可能性就要大打折扣。我希望她的小店能开得很顺利。

长江日报路店：即将开店，周边没有风景，左邻右舍是几个小吃店和修车铺（我个人认为环境不好），附近有写字楼和小区。店面三十多平方米，有卫生间（很小）。房租 1 600 元/月，转让费 3 万元左右，装修改造 1 万多元（应该没多少，做了几张桌椅和书架而已）。店主本人负责生意，休息时有没有人替不清楚。

背景介绍：

如泡泡所说，当时我正在酒吧里开着参差咖啡不亦乐乎，因为媒体的报道大肆吹捧了我的书，而落落的父亲是书业的资深前辈，一直在思考书店的出路。看到我把咖啡和书相结合，顿时非常认同，进而希望为女儿开间加盟店。被对方肯定之后，自认为参差也不算个什么品牌，朋友看中了希望开一间加盟店，那是看得起咱，自然没理由拒绝。

这位前辈也是个行动派，很快就先后找到两个价格不错的门面。泡泡来看到的是第一个，开业之后叫参差咖啡长报店。大概3个月后，前辈又找到了一个在武昌的门面，两层楼面积一百多平方米，租金才2 800元。我参与简单设计装修后，很快也开业了，我们叫它参差咖啡儿童公园店，前辈自己出马经营。之所以默许他们半年之内连开两间，一来是之前说的原因；二是因为，我也找过门面，在我心里，真是挺佩服这位老兄的，两个门面其实性价比都非常高，单从位置和投入产出的分析来看，两个地方经营起来都应该没有问题，何况父女两个都是热情高涨的。但是，很遗憾，最后问题都出在人上了。

简单地说，落落大学毕业不久，喜欢咖啡没错，性格开朗也没错，但是泡泡写到的落落"对每天上班的生活无法再忍受"也没错，连自己家的咖啡馆都常常不能准时开门，这对任何经营场所恐怕都是灾难性的打击，何况是一间新开不久的咖啡馆呢。至于前辈的问题其实也比较好理解，毕竟是 50 多岁的人，开茶馆还行，开咖啡馆实在是和目标人群有些错位。请人吧，首先我就很反对，更何况一个合适的人并不是那么好找的。最后的结果是，这两间店不温不火地开了都不到半年，前辈就感觉不想经营下去了。既然是参差咖啡，我当然不愿意看着它关门大吉，于是二话不说先后都买了下来。这个关乎一点面子，与仗义什么的无关。我主要还是认定这两个地方是能够经营下去的。

现在的状况是，参差咖啡长报店已经被我一个好朋友接手，情况和北京魏公村的参差咖啡很像，新主人非常喜欢我们的理念和品牌，自己爱好摄影、自驾游，现在把小店经营得有声有色。参差咖啡儿童公园店现在也因地制宜找到了适合的咖啡加西点烘焙的经营思路，为参差咖啡贡献了一种新的可能性。

- -

回到森哥自己的店，这里头说道挺多。森哥的所谓的咖啡馆其实是他朋友的酒吧，白天朋友让出来给他做咖啡馆，晚上他还给人家又变回酒吧。如果你路过这里，那只有通过门右边的那个参差介绍和左边下面的小黑板才能得知这里原来卖咖啡。这家酒吧的风格主要是爵士，所以屋里的主色调是黑色和白色，我很喜欢。

　　森哥对他自己的这个点子感到很满意，咖啡店本来也不像酒吧那样要开到伸手不见五指的夜里。像我这样睡眠不好的人就更不允许晚上为了多赚几个钱在这里熬着。傍晚 7 点多钟收拾收拾就回家了，这种工作方式是合理的。开店对于他来说基本没有负担，这是一种最舒适的经营——无压力经营。弊端就是这个店的风格必须尊重朋友，不能随意改或者说基本上没有什么可改的。如果想把这里按照自己的想法好好收拾一下就不太可能了。不过在这里我观察了一段时间，发现他的生意还不错，很多人坐在这里看书交流，好像也并不太在意什么装饰风格。在吧台边喝咖啡你习惯吗？森哥会对你说，为什么不习惯？如果你喜欢来我这里，那么坐在什么地方喝都是快乐的。

　　新华小路店：开店不到半年，周边环境还可以，地处商业区，相当于北京的复兴门一带。写字楼多，小区是比较旧的。店面 100 平方米左右，无供暖，有卫生间。房租森哥主动提出 3 000 元 / 月（是酒吧的全部房租），转让费 0 元，装修和设备七八千元（做了几个书柜），买了两万多元的书。森哥自己看店，营业时间 10：00~19：00。目前每月盈利 1 000 元左右吧，算上他自己每天三四杯咖啡，划算。

参差咖啡就说到这里，下面我们来看看两个很有特点的小咖啡店。在森哥酒吧里的参差咖啡附近有很多小咖啡店，老板都是他的朋友，我们特意走访了其中几个店，转转看看。

"每日咖啡"，漂亮的小房子，淡淡的绿，让人觉得很是惬意。这本是个售楼处，老板很聪明盘了下来，把高高的一层改成了两层，只不过上面一层很低很低，不适合来回走动。

没有喝这里的咖啡，那天实在是喝了很多杯，因为去了很多家。咖啡这个东西不是可乐，不适合牛饮。老板的咖啡应该煮得不错，听说从业六七年了。我在这里观察了一会儿发现，有些人开着车来喝咖啡，估计都是老板的好朋友。

每日咖啡：开店不到一年，周边环境还可以，挺安静。写字楼不多，多是比较旧的小区。店面 40 平方米左右，楼上楼下各 20 平方米，无供暖，有卫生间。房租好像不到 2 000 元一个月，转让费 0元，装修费用不详。店主负责看店，好像有人和他轮换吧，我不清楚。营业时间不会很晚，我忘了问了。目前每月盈利 7 000 元左右。

售楼部改的每日咖啡馆

　　此次武汉之行让我收获最大的店是"西北湖咖啡豆专卖店"。用我的话说，打远一看绝对可以当成是兰州拉面，走近了才发现原来挺小资的，咖啡馆也可以这样搞。小店的右边还好是个居委会，左边居然是个垃圾站啊！真是绝处逢生。

　　下面我来说说这个店为什么让我感到很好奇吧。这是个小得不能再小的店，全部算上不会超过 20 平方米。吧台就占据了一定的面积，剩下的我数了数一共还有 8 把椅子 4 张小桌子，因为面积有限所以桌椅都不大。我去的时间是周一的下午大约 3 点到 4 点，屋里进进出出始终保持着五六个人左右。客人都很随意，谈天说地无所顾忌。看到吧台里面站着一个小伙子，我以为是店主，便问森哥。森哥说那是个在这儿喝了四五年咖啡的老客人，做保险的。每天不用去办公室就把这里当成另外一个办公室了，像上班似的天天来，人多了还帮着忙里忙外。而且这样不见外的人还不少，不错，咖啡馆要开成这个样子真的就很棒了，说明他们喜欢你这里，对这里有感情。如果这样的拥趸有一定数量的话，店就能长久地发展，十几年，几十年，上百年也不是不可想象。转念一想要是碰见我不喜欢甚至是讨厌的客人整天腻在店里怎么办？森哥说这样的客人时间长了自然会感觉到不受欢迎，自己没趣了也不会常来的。有道理。

　　这个店开了 6 年。要我看装修可能都没有变过，房间里有个地方墙都破了个大洞。我看见后觉得有点过了，好歹也该整一整啊。但是就这样一个小店每天的营业额竟然在700左右，10元、15元一杯的咖啡竟能卖到这个分上我觉得是个奇迹。后来我们一起也聊了聊这个问题，得出的共同结论就是有些事需要坚持。之所以有今天是因为它在这里日复一日地开了6年。我不清楚它刚开的几年是否遇到了很多不顺利，但我相信肯定会有这样一个阶段。

西北湖咖啡店：开店6年，地处汉口商业区旁里一个小路边上，周边写字楼和小区都算武汉不错的。店面20平方米以内，没有供暖，有个微型卫生间。房租不到1000元/月（武汉的店租真的令人为之疯狂），转让费不详，装修费不详（啥都没有，绝了），有一些书都是关于咖啡文化的。好像老板的外甥女负责看店，营业时间9：00~21：00（完美的营业时间）。这个店还有一个不得不提的事就是它还卖烘焙好的咖啡豆，森哥的咖啡豆都是从这里买的。生咖啡豆和烘焙好的咖啡豆成本差很多，森哥已经自己买了烘焙机，从今天开始他不再依赖进口了。每月盈利不知道具体数额，但是没有低于过1万元（服了）。

小芸的参差咖啡日记

以下是北京魏公村的第一间参差咖啡经营期间，搭档的妹妹看店时期的部分日记。当时是在我的请求下开始记日记的，当事人也很乐意配合。时间一晃都 5 年了，直到最近因为写这本书寻找资料才无意中在电脑里发现，再次浏览下来，仍然动容，于是征得当事人同意，也拿出来和大家分享，分享一个准咖啡馆主的咖啡馆生活细节，相信大家也能够从中读到美好。

我给小芸的信：

小芸，

一口气把你的咖啡日记全都看完了，从 9 月 1 号那篇开始一直到 10 月 28 号的。几次都会心地笑了，写得真好。这样记录下来的心路历程既有意义还有价值，意义在于通过每天结束前的静思来回味或许是美好的，当然也可能会是沉闷的一天，进而提醒自己怎么

去把明天过得越来越真实和快乐。有哲学家说过，生命是一场得不偿失的交易，如果我们真明白了这个道理，我们每天要做的工作就是想方设法寻找让自己快乐的事情，来和那狗屁宿命抗争。我说这个看来有些刻意，但要想逃脱宿命并不容易，我们总得做点什么。

再说到价值，我很早就开了个参差咖啡日记的博客，希望武汉参差咖啡的馆主和你姐姐写在参差中国网上。希望经营者写日记其实是让她们通过记录来发现开咖啡馆的乐趣，今天看到你的日记，觉得你做到了。

"因为自己的心态心情越来越好，因为自己善于发现咖啡馆里发生的有趣的事和人，最后自然地营造出了一个家的氛围，自然地会有越来越多的人愿意来，把咖啡馆当成了自己生活里不可或缺的一部分。"你想想一个咖啡馆能达到这样的效果，就自然满足了一部分社会需求，生意自然就不用担心了，会越来越好，好到你又快乐又挣钱。

我会把你的日记挑些转到参差咖啡日记的博客上，希望你能坚持写哦，听说你的留言本上也有很多有意思的东西，有空的话也请帮忙敲到参差中国网里。谢谢了，以后叫我森哥，别叫什么武汉的老板哈哈哈。

小芸的参差咖啡日记：

咖啡馆

发表时间：
2007 年 9 月 1 日 20 时 53 分 54 秒

　　每天傍晚坐在咖啡馆门口往里看，总是有莫名的喜爱，我发现我越来越喜欢它了。它给我一股要勇敢走下去的勇气，让我有了家的感觉，看着它总是那么的温暖，那一刻我会忘记所有的烦恼，单纯的只是为了它，为了它我会勇敢的，因为我不想失去这个"家"。

擦窗户

发表时间：
2007 年 9 月 4 日 22 时 41 分 34 秒

　　本以为武汉的老板明天就要过来了，所以一大早就去店里了，那个沙发套好难套啊，我一个人费了半个多小时才套上去，套完后已经没一点力气了，然后我发誓下次如果要换洗的话我可不换，我宁愿洗。接着我又开始打扫卫生，最艰辛的工作就是擦窗户了，由于外面的太阳很大，所以我上午就把屋里的一面给擦了，然后打算等太阳下山了再擦外面的。今天的客人挺多的，都是老客人，所以我的心情也挺好的，不知不觉就天黑了，店里就两个客人了，于是我就出去擦。刚出去，一个客人出来说帮我擦，因为挺熟的了所以我也就没有推辞，男女搭配，干活不累嘛，基本上高难度的都是他擦的。店里的另一个客人就看着我们笑，也许是因为她觉得其他人都是早上擦窗户，可我们却大晚上的擦，我倒不觉得什么，我跟男孩开玩笑说，谁叫我们是参差呢（不要一样的）。看着窗户亮堂多了，我们三个都开心地笑了。我很喜欢这样的情景，客人们都融入到咖啡馆了，这是我希望的！因为这个咖啡馆就是一个"家"！

　　现在我和好多客人都挺好的，但是有的客人却要离开了，这让我有一点点的伤感，我只希望他们以后都能过得很好，我会祝福他们的！

怜

发表时间：
2007 年 9 月 9 日 22 时 51 分 38 秒

　　有几天没来了，因为店里这几天的生意都挺好的，今天一天都在忙，我喜欢忙碌的感觉，那样的话就没时间去乱想了.

　　昨天有一个客人，其实是老客人了，只是这次身边没有了女友的陪伴，从他给我看的他的博客中我知道他们分手了，但是我什么也没说，只是对他笑了笑。他说他很喜欢这里，他是特地坐两小时车过来

的，听后我心里有一丝温暖，有这么忠实的客人很不容易啊！喜悦间
却又夹着一丝怜惜，我感觉到他心里的无奈.我希望来这里的客人都
能过得好，因为看见他们开心我也会开心的！

雨过天晴

发表时间：
2007 年 9 月 12 日 23 时 2 分 21 秒

这两天的生意真的很悲惨啊，两天才五个客人，我快郁闷死了！
本来打算休息一天的，但这两天的情况不太好，所以连休息的心情也没
有了，坚持把这个星期过了再休息吧。

今天给妈妈打了电话，她也学会上网了，还有了自己的QQ号，上
网时还看了她的资料，我挺开心的，一天的郁闷都没有了，我觉得我妈
妈好可爱啊！我希望她能通过网络找到自己的乐趣，每天都能过得充实
一些，我更希望我妈妈的身体健康，希望她的脚早日康复，我很想她！

请对我说"加油"

发表时间：
2007 年 9 月 16 日 23 时 27 分 44 秒

今天店里的生意还不错，可是来上网后才发现日记没什么可写

的，明天要大扫除，因为老板后天要过来了。嘿嘿，其实我平时也打扫的，只是他是第一次见我，所以为了留下好印象就要辛苦一下啦。加油，一切都会好的！

糟透了

发表时间：
2007 年 9 月 18 日　22 时 39 分 0 秒

　　今天的心情是来这里以后最差的一天，虽然吃了朋友做的意大利面，虽然生意还可以，虽然没有发生让我感到生气的事情，可是我现在的心情却很不好！心里空空的，想去想一个人却不知道想谁，想做一件事却不知道自己应该做什么，想看一本书却不知道看哪一本，好烦！下午姐姐和朋友们去吃饭时只留下我一人，心里很难受，并不是想去吃饭，只是感觉自己原来是孤独的，突然间会想起很多。我选择了这条路，究竟是为了什么？人活着真的很不容易啊！别说是要开心地活着了。既然不知道选这条路是为了什么，所以我更要走下去寻找答案，我坚信生活只会越变越好的，人只能靠自己才能走出困境。

　　其实好想痛哭一场，但是我还是忍住了！

减肥的前一天

发表时间：
2007 年 9 月 20 日 22 时 44 分 56 秒

　　昨天老板们都在店里聚会，所以我就可以偷一点小懒——提前下班了。下班后和朋友出去吃烧烤，喝酒，聊天，好爽啊，心情也挺好的，前一天的坏心情已经消失了，其实就是要自己调节的嘛。

　　今天店里的生意挺不错的，我发现咖啡馆越来越像个家了，来的客人都挺随便的，如果我在忙的话，他们会自己去吧台倒水，却显得那么的自然。今天又听见客人说咖啡馆很不错时，心里真的很高兴，比听到别人夸我漂亮还要高兴。也许就是因为这样，我很喜欢咖啡馆，当别人问我每天一个人待在咖啡馆不烦吗？我每次的回答都一样：不烦，因为我喜欢它，难道会有人厌烦家吗？就因为很喜欢所以每天的心情都很好所以我的体重才会增加，我现在郁闷的是这个。我可不要再回到以前的体重，所以我已经给自己制订了减肥计划，就是每天早起，然后骑自行车遛一圈，这样既省钱还能达到减肥效果，明天就开始执行了，朋友们要监督我哦！

　　其实生活中的乐趣都是自己去发现的，把什么都看开了就没有什么事是过不去的。还有就是无论多忙都一定要运动，因为它能让你永远年轻和充满希望！最重要的是可以减肥哦！哈哈，爱美的美女们行动起来吧！

新生

发表时间:
2007 年 9 月 23 日 23 时 1 分 45 秒

　　上次提过有一个客人是坐两小时车来咖啡馆的，今天他又来了，还带着一个女孩子，我想他们应该和好了吧，看着他们很甜蜜的样子，我也替他们高兴。这男孩挺细心的，当我开灯时，他会用手挡着熟睡中的女朋友的眼睛，看着这一幕，我的心也随之温暖了一下。这样的关怀如此熟悉却又遥远，默默地祝福他们一定要幸福！

　　今天咖啡馆的生意还可以，下午来了两个理工大学的学生，他们是第二次来，听见他们说很喜欢这里时，心里偷偷地高兴。

无题

发表时间:
2007 年 9 月 29 日

　　有好几天没写日记了，也许是因为太忙了吧，平时好像有好多想写的，可现在却不知道从何说起了，突然间也想不起都发生了些什么，只知道中秋过得很开心，很热闹，在咖啡馆又认识很多朋友。我发现原来酒是个好东西，它可以拉近人与人之间的距离，我也发现我近段时间经常喝酒，有时候也在问自己，抽烟喝酒是不是一种堕落的表现。虽然我很明白自己现在在做什么，可我发现我找不到原来的自己了，虽然看清楚了前方的路，可是却看不清楚自己，这条路我又应该怎样走呢?现在能陪伴我的也只有这个咖啡馆了，我会和它一起成长!

无题

发表时间:
2007 年 10 月 2 日 15 时 11 分 57 秒

刚进咖啡馆就来客人了，不过这女的挺事儿的，哎，看在她是客人的分上，我忍! 今天给咖啡馆买了个留言本，刚一拿出来就有好几个客人留言了，本打算自己要写第一页的，却被"猪王"(这可是他自称的，可别误会是我在骂他)抢先一步，让我们的参差处女留言册，开篇就是个大猪王，希望他能带给我们幸运吧!

昨晚在咖啡馆玩得比较晚，一是和"猪王"他们一起聊天，二是和我们的徒步队友们商议旅行的事，很开心，希望我们的这次旅行顺利.我会带上本子把有趣的事情记下来，与大家一起分享。

烤蛋糕

发表时间:
2007 年 10 月 26 日 22 时 42 分 31 秒

今天店里的生意很好，我刚到店里就来客人了，最有成就的还是我今天烤出来的蛋糕朋友们都说好吃，是真的挺好吃的，我打算以后店里就卖这种蛋糕了。一个朋友还把她的蛋糕模具借给我，还有好几个朋友也帮我出谋划策，真的很高兴能认识他们。

感谢生活

发表时间：
2007 年 10 月 31 日 22 时 42 分 50 秒

今天北京的阳光很好，虽然外面的风很大，却吹不走我的好心情，坐在阳光下，享受着宁静，咖啡，阳光，音乐。好多人想要的生活也就不过如此，我却正在经历，我还有什么不满足的呢？突然间觉得我应该珍惜现在拥有的：温馨的"参差"小屋，忠实的客人，可爱的朋友，最爱的家人……我已经是很幸福的了。

愿更多的朋友能与我共同分享在参差的幸福时光。

《镜子》

发表时间：
2007 年 11 月 5 日 23 时 26 分 16 秒

我都已经不爱我自己
又怎么会爱上你
我都已经不爱我自己

就不在乎爱了你

反正我都已经不爱我自己

又在乎爱了谁

——《镜子》

不知何时竟爱上了陈升。

有空写封信吧

发表时间：
2007年11月6日 23时0分22秒

　　今天实现了写信的体验，给经常见面的朋友寄了过去，大概明天就能收到了吧，其实我们刚见了面。哎，谁让时代的步伐太快，人们大概都不知道信封都已经变大了吧，我是今天才知道的，害我的小信纸显得那么的小气。

　　朋友们，要是有多余的时间，可以坐下来给长久没有联系的朋友写一封信，那会给彼此带来快乐的！

　　隔壁霓裳酒吧的老板今天来店里坐了一下午，她说很喜欢咖啡馆，因为很温馨，这一点我一直都是很自信的。远亲不如近邻嘛，我今天又多认识了一个朋友——酒吧的小服务员小熊，她是一个腼腆的小女孩.

不要让"没有时间"这样的借口拉开彼此的距离，一句"近来好吗？"不是很简单吗？

不要醒来

发表时间：
2007 年 11 月 8 日 22 时 46 分 45 秒

　　早晨睁眼后发现嗓子干哑，眼睛干涩，才反应过来，昨晚做梦哭过，即使当时有预感，却没有制止，因为天亮以后就不会如此放纵自己。伤心还有余温，笑笑，品味着这甜蜜的痛苦，只证明我心未老，何必计较失与得呢？

　　下午，看着朋友精心地为男朋友准备生日礼物，只看见她的脸上写着两个字：幸福。

　　惨啊，又要加入过"光棍节"的队伍了，还好，身边有好几个"冰糕棍"陪着我。

记流水账

发表时间：
2007 年 11 月 15 日 2 时 2 分 39 秒

　　本以为今天的心情会糟透了，当我独自一人烦恼时，一张久违的笑脸推门而入。

21：30

是一位很客气的老客人，已经有一两个月没来过了，今天再看见，很暖，真的！老样子，他用着电脑，我很安静地看着书。

21：50

两位美女，以前来过一次，和上次一样，一壶玫瑰花茶，各自聊着女孩子之间的小秘密。

22：20

一对年轻的情侣，第一次过来，两杯红酒，比较适合他们，聊天的声音有点超出咖啡馆范围，还好，其他客人没有异议。

23：30

打算今天不回家了，客人都很开心。

23：50

店里只剩下那对情侣，男的很健谈，我们一直在聊咖啡馆。看了看时间，决定不回去了，小区大门已经关了，到网吧打发时间。

00：00

客人越谈越有兴趣，他本想开咖啡馆的，现在却开了餐馆，他这么高兴，生意不错。

00：20

客人本打算喝完酒就走，还说开车送我回去，人挺好的，只是他不知道我已经回不去了，我婉言回绝了。

他又和我聊了很多的生意经，我也学到不少。

00：50

他女朋友困了，两人离去．我相信还会见面的，他们喜欢这里。

01：05

收拾好咖啡馆，出门。北京冬天的夜晚特别冷！

今天挺有收获的，感谢这位健谈的大哥，感谢可爱的"参差"小屋。

就在此时

发表时间：
2007 年 11 月 21 日 1 时 0 分 37 秒

刚送走今天的最后一个客人，一天就这么结束了。因为明天店里有活动，所以今天发了好多的短信，下午就来了好多老顾客，真的很感谢他们能这么支持，愿明天大家都能开心！

上一个小时网就回咖啡馆写东西，今天不想回宿舍，大家都睡了，不想去影响别人休息。

「因为有你
所以参差」

02
怎样开间小小咖啡馆

咖啡馆注定是小的

我坚信，真正的咖啡馆时代在中国才刚刚开始。记得最早接触到的卖咖啡的地方是上世纪 90 年代初在广东东莞的厚街镇，有一间台湾人开的"咖啡语茶"，名字很讨巧，卖咖啡、茶、简餐、奶茶。当时以为这就是咖啡馆了，现在我可不认为它是咖啡馆。在以喝茶为主的内地，咖啡被以这样的形式引进可谓高明，也无可厚非。之后陆续出现了名典咖啡，风靡一时，弥漫着煲仔饭的味道，完全遮盖了咖啡的香味儿。再后来又有了很多冠以咖啡馆之名的中西餐厅，它们的共性是面积不小，装修越来越豪华，但咖啡的营收比例并不高。

从 1995 年开始，我常去欧洲，转了很多地方才知道真正的咖啡馆很少卖正餐，只卖咖啡和小点。这么看来，我以前以为的咖啡馆其实都不是咖啡馆。如果非要用一个指标来衡量到底是否咖啡馆，那应该是：营收的 60~70% 以上来自咖啡，就是咖啡馆，否则就是伪咖啡馆。

我对名称的较真儿绝不仅仅出于矫情，只停留在表面上，在中国，很多事情都是这样，对名称怎么定义好像大家都无所谓或者都心照不宣。其坏处就是在实际操作的时候各作主张，花样百出，其结果是大家都在挂羊头卖狗肉。概念清晰其实在生活中是非常重要的，到底什么样子才是真的咖啡馆，如果不搞清楚，至少对真正需要咖啡馆的人是一种困扰。名典咖啡的大量复制，说明市场是有需求的，但是市场当时需求的可能只是一个解决简单的正餐，能够休息，谈点事情的"慢餐厅"。我坚持认为，正餐营业收入大大超过咖啡，那就不是咖啡馆，这两年迅速扩张的两岸咖啡也仍然只是个升级版的"慢餐厅"。

这么多叫咖啡馆的伪咖啡馆存在，我没法提意见，之所以拿出来反复唠叨，就是怕真正的咖啡馆概念被混淆了。概念一旦清晰之后，我们就不得不分析一下，为什么我说那些传统的大咖啡馆都免不了成为伪咖啡馆呢？原因很简单，面积大、租金高、员工多，中国人的咖啡消费又不像西方人那样已经成为了生理需求，男女老少都需要。很自然的，卖饭就显得顺理成章了，因为要去支付高额租金。既然喝咖啡目前还算小众，为什么非要把咖啡馆开那么大然后去被迫卖饭，成为伪咖啡馆呢？

　　<u>真正的咖啡馆注定是小的，</u>不必去承担高额租金，不必请那么多人，一开始自己雇用自己就行，更不必咖啡消费不够饭来凑。再来，小咖啡馆的益处不单单只是经济层面的考量，比如，我讨厌给人打工，也没本事让别人为我打工；我热爱自由，但自由不等于整天游荡，生活无以为继，开间小小咖啡馆就是自由的最好诠释之一。因为小，你大可以有很多方式去自由。所以小小咖啡馆带来的最大收益其实是这种自由度和你获得的自由感。这可不是用钱可以衡量的，尤其是对看重自由的人。

　　以我自己为例，我开咖啡馆，喝自己的咖啡，像我这样每天至少3~4杯咖啡有瘾的人，按市面价格20元/杯，每个月得花费1 800元，一年下来小两万元，10年呢？下半辈子呢？按50年计算，省下了100万啊！更有额外的好处是，<u>小小咖啡馆经营成本可控，</u>压力不大，只要你有兴趣，你大可免去所谓的营销策划，满脑子整天可以天马行空，奇思异想，都与生意无关，却又不一定不能带来生意。最重要的是，这种自由导致什么呢？导致身心健康呀，健康可是无价的哦。

　　说了半天咖啡馆注定是小的，那么到底什么才是小咖啡馆呢？我心里的标准是不超过 100 平方米，最小 20 平方米都没问题。20~100 平方米之间，由租金上限来最终确定面积，也就是说，租金上限如果是每月 3 000 元，而每平方米租金为 60 元/月的话，那么合适的面积就应该不超过 50 平方米。如何确定租金上限呢？这里有一个公式：

　　租金≤当地咖啡平均价格 ×5×30

　　比如当地咖啡平均价格为 20 元，那么租金上限就是 20×5×30= 3 000 元。

　　这个公式可不是什么高深的经济学，其中的意思很简单，就是，你平时一般每天喝两杯咖啡，那么，就算你的咖啡馆一天都不开张，也就只当是自己这一天多喝了 3 杯咖啡。

　　租金大于 3 000 元，就有压力，如果你扬言压力就是动力，或者老子钱多心理素质好，那你就去开一间伪而大的咖啡馆吧。

开咖啡馆是一种生活方式

千万别把开咖啡馆当成创业，当成一种投资，千万别指望开咖啡馆可以完成什么原始积累，开咖啡馆只是一种生活方式。所以在开一间小咖啡馆之前，你一定要反复问自己的，不是我真的准备好要开一间咖啡馆了吗？而是，我真的准备好要过这样的生活了吗？

稍微扯远一点吧，社会上现在开始有人在讨论和审视"养儿防老"这一很多人非常熟悉和习惯的说法，我的态度是强烈反对这种陈旧的观念，我认为它是农耕文明的产物，完全有悖于现代文明的常识。理由如下，孩子不会不请自来，养育他是你的责任。当你哺育一个孩子的时候，你在过程中已经得到了太多，那些满足感和快乐，与你所付出的艰辛是可以扯平的。

如果你不把孩子视为养老的工具，抚养和教育过程就会更自然地尊重其发展的自由，人格的完善，而不是为了提高养儿防老的安全系

数，一味要求孩子听话，按家长的规划和步调亦步亦趋。这样一来互相尊重，相互关爱的亲情自然就有了。

　　小咖啡馆也一样，你不能把它工具化，它就像你的孩子一样，你陪着它成长，你倾注心血在它上面，收获的是快乐和满足，你不能像对其他生意那样过度算计。打个不恰当的比方，要赚钱不如去开牛肉面馆。当然，既然是开店，收益一定要考虑，只是结果和你的欲望的强烈程度肯定不成正比。一个良性循环应该是这样的：你喜欢你的咖啡馆，愿意用心装饰，用心营造，乐此不疲。久而久之客人自然能够感受你的良苦用心（感受不到的其实就不是你的目标人群）。作为生活方式，你乐在其中，自会有人认同。你不把客人当客人，他不把你当生意人。好了，你的咖啡馆慢慢就成了大家的公共客厅，甚至特别喜欢这儿的人日子久了会产生归属感，以主人自居。小小咖啡馆其实容纳不了多少人，不用多久，宾朋满座不是什么太难的事情，温馨收益自然也就来了。

在这里特别强调一下"自雇"这个概念，小小咖啡馆既然是生活方式，一定得自己经营，尤其刚开始的时候。第一，咖啡馆和人一样，也是要有性格的，是要有精神气质的，想好了开咖啡馆，你就是咖啡馆的核心和核心竞争力，请别人管理效果一定会大打折扣。第二，既然是小咖啡馆，盈利能力和空间是有限的，"自雇"最直接的好处是省了人工，除非咖啡馆开了一年半载，生意稳定，忙不过来了，那时候自然也就有能力请个帮手了。

劝你暂时别开咖啡馆

最近两年，最让我得意和欣慰的是，我前前后后大概劝退了四十多个想加盟或者想自己开咖啡馆的咖啡馆爱好者。我甚至认为这些劝退成功的功绩比开了几间参差咖啡还要伟大，还要功德无量，哈哈哈。

因此，我觉得，没准儿以下的罗列和分析会是这本书最有价值的部分。因为如果你能对号入座，如果你读懂了，也同意我的说法，你会发现你其实并不适合开咖啡馆，至少目前还不适合。于是暂缓或者放弃，安安心心做个好咖啡客人岂不是省了钱又省了心?

A. 劝你别开咖啡馆之大学毕业创业型

我接触到的这一类型比较典型，大约占了30%。大学生接受新鲜事物快，喜欢咖啡馆很正常，梦想将来拥有一间自己的咖啡馆也很正常。我能理解，并表示支持，但是坚决反对刚毕业就把开咖啡馆作为创业选择。原因有三，第一，咖啡馆毕竟是一门生意，要面对的客人林林总总，大学生缺乏社会历练，和各色人等交流的空间不大（大学生在校园里尝试开咖啡馆不在此列），你总不至于只接待同龄人吧。第二，开咖啡馆需要资金，大学生创业势必需要父母出资，这个就犯了大忌。比如不能完全按照自己的意图行事，父母会多有干涉，或者即使父母不干涉，借来的钱总是有上限的，万一经营出现暂时的困难，后面难以为继，出现流动资金不足，平添多少尴尬。第三，前面提到过，开咖啡馆是一种生活方式，大学生刚刚进入社会，年轻的特征之一就是未来的生活有无限的想象空间，很有可能你还会发现更适合或者更喜欢的事情可以去做。于是即便前面两个困难被你克服，第三个发生的可能性仍然存在。

所以我的建议是，让梦想深埋在心里，先好好工作，多看书，多旅行，耐心等待和准备个三五年甚至更久。如果到那个时候你开咖啡馆的愿望依然强烈，那就义无反顾地行动吧。千万别告诉我说，反正现在合适的工作也不好找，不如开个咖啡馆创业，当个"自雇"型老板不是很好吗？答案也非常简单，开咖啡馆也是需要很强的综合素质

的，连普通工作都找不到，或者多数工作都看不上，那你凭什么肯定
自己开咖啡馆就一定能行呢？

B. 劝你别开咖啡馆之圈子大人脉广型

我接触的这一类型大约占 25%，也算比较典型的，通常是从事媒
体广告行业的朋友。每次碰到这样的朋友跟我聊想开咖啡馆，我的头
都会剧烈摇晃。通常对方开始会非常不解，但经过我耐心解释，举例
说明之后，一般都能心服口服。

请问，你见过名人开的酒吧、餐厅、咖啡馆很长命的吗？我反正
是见过在武汉有名人开的酒吧半年就转让掉的。名人尚且如此，你的
圈子大人脉广会真的有效吗？问题的核心其实不在这儿，一个咖啡馆
能否存活真的和它幕后老板是谁没有什么关系，它只和咖啡馆能否生
存的那几个基本要素有关。圈子和人脉只能起个锦上添花的作用。

有这种想法的人，通常是不愿意放弃现有工作的，因为那可能导
致人脉和圈子的缩减，于是他们通常会认为，请个人看店，自己只需
要为店子广而告之，自然就顾客如云了。这个想法错就错在，即便
是朋友够多够铁，他们也是冲着你去的，你老不在，人家会觉得没意

思。你把你的名头当成了金字招牌，对店里的氛围、细节、好玩有趣的内容的关注就大大缩减。刚开始可能还行，时间一长就经不住考验了，朋友也会有别的选择嘛，凭什么非得只到你这儿来呢？何况老碰不到你，就更无趣了。

所以我对这一型朋友的建议是，如果你真的喜欢，也真的适合，不妨放弃工作，专心致志来做，否则一定是无果而终。

C. 劝你别开咖啡馆之钱多玩玩型

这一类型现在好像越来越多，约占35%。他们最喜欢说的是，小咖啡馆花不了多少钱，反正泡别人的也是泡，自己又那么喜欢，不如自己开一间泡自己的，不求它挣多少钱，能保本就行。这些说法听起来好像都没有错，但是其中却有很大的隐患。

通常有这样想法的人，可能的确有较强的经济实力，于是在选址、装修、经营过程中会过于理想化，会违背一些小咖啡馆必须遵循的原则。比如租金高点没关系，喜欢就好；装修费点钱没关系，喜欢就好；赔了几个月没关系，喜欢就好。可是，你开的毕竟是间开门营业的咖啡馆，必须遵循其本来的规律，用心经营，进而赢得越来越多的回头客，而回头客就是一种来自客人的鼓励，从这些鼓励中，你才会找到乐趣。如果没有了这些乐趣，因为开一间自己的咖啡馆而产生的兴奋感很快就会退潮。我见过的大多数例子是，到最后，当事人不是因为赔不起了而关门大吉，全是因为觉得不好玩了而最终放弃。

对这一类朋友，我的建议是，要么继续做个好客人——开间理想化的咖啡馆要花掉的钱够你喝很多年咖啡了；要么，遵循规律，用心经营，你需要的可能不是赚多少钱，但是你需要认同感，需要乐趣，需要被鼓励。

D. 劝你别开咖啡馆之两不误双保险型

这一类型相对少一些，大约 10%。因为即便是当事人也清楚，这种双保险实现起来是非常困难的。都知道一心不能二用，工作舍不得放弃一定是收入还不错，势必投入的时间和精力也不会少，但是咖啡馆梦想又是那么强烈恨不能马上就拥有。问题是咖啡馆要经营好也是要花时间和心思的呀。我接触到的这样的朋友通常也都是停留在想，很想，非常想的阶段，比较少有贸然行动的。其实，咱们北京魏公村的参差咖啡就是这样一个案例，主人开馆之后被招安，工作繁忙收入可观，开始还勉强可以两头照顾，一个月后就感觉分身乏术，店就只能请个人看，一年下来咖啡馆就那样不死不活的，最后我觉得不如让给那个专心致志的朋友。

对这一类朋友，我的建议是，继续等待，多存点钱，先泡别人的咖啡馆再说。千万不要高估自己的承受能力，贸然行动，最后两头都做不好。

E. 劝你别开咖啡馆之多人合伙有福同享型

这一类型普遍存在于上面四种类型中，之所以调侃地用到"有福同享"这个词是因为其实事情往往正好相反，基本最后都变成"有难同当"了。

小小咖啡馆有个显著的特征就是很有个性，参与的人一多，很难搞的。本身投资不大，收益空间也不大，就只适合自己一个人过日子。合伙的弊病有三：第一，收益本身空间有限，再分到几个人身上就非常少了，你开始可以觉得无所谓，但时间一长，就会出现前面提到的C情况；第二，一人一个想法，一人一个点子，从装修开始就会争吵不休，千万不要说咱们志同道合分工明确，还是那句话，时间稍长一些，问题还是会出来，谁还没个想法呢？第三，通常多人合伙，都有人多力量大的美好愿望，合伙人多朋友就多，圈子和人脉就会大而广，其实这就又陷入了前面提到的 B 类误区。

所以，对有这样想法的人，我的建议是，想法可以集思广益，钱一个人出，如果目前还不够，攒够了再说。小咖啡馆合伙基本是死路一条，这样的案例我见了不少，最终都是以转让收场。

创意园区里的参差货柜咖啡，租金每月 1 200 元。

小小咖啡馆的租金与选址

在这一节，我特意把租金放在选址前面是有我的想法的。套用一些装模作样的生意经，以一些攻略书的口吻来讲：一间小小咖啡馆，要想立于不败之地，第一原则是租金，第二还是租金，第三仍然是租金。先确定租金上限再选位置，万不可因为位置优越而放弃既定的租金上限原则。例如，按照前提讲的那个公式，如果确定租金上限为3 000元/月，而你看中的位置每平方米租金要100元/月，那么你就只能租个30平方米的地方；如果租金是每平方米30元/月，那就可以租100平方米。

千万不要被位置好，人流量大所迷惑了。人流量大不一定是你的客人，咖啡不是大多数人的必需品，他们最需要的是饭。一旦你因为占据了好位置，正在为人潮汹涌而兴奋的时候，紧接下来的烦恼一定是为是否提供饭而纠结。不做吧，高租金无以为继；做吧，违背了开店的初衷。

我的主张是，小咖啡馆既然有一个租金上限原则，那么选址完全可以直接放弃繁华的人流量大的一线门面，直接去二线甚至三线地段寻找。当然所选择的区域内一定要有目标人群（20~40岁的大学生和白领），只要他们能够方便抵达，附近停车还算便利就可以了。

通常来讲，主街两边的侧街租金应该会便宜一半甚至更多，所以参差咖啡到目前为止从来没有出现在主干道和主街上。

有个台北的咖啡馆的例子很有说服力。之前店开在一线街道，生意挺好，但是租金也很高，于是不得不早早开门，每天推迟打烊，辛辛苦苦赚来的大部分收入都交了租金。后来店主想通了，把店子搬到一个小巷子里，租金少了一大半。因为口碑不错，生意也还稳定，做起来也轻松多了。每天11点才开门，晚上打烊时间也可以比较随性。这，不就是开咖啡馆应该有的状态吗？

案例二，武汉西北湖咖啡豆专卖店，面积不到20平方米，还带个小洗手间，满打满算一次只能坐7~8个人，但是五六年守下来，每天能卖过百杯咖啡，租金却还不到1 500元。这么一算，它的盈利能力绝不输给那些投资大几十万主要靠简餐的伪咖啡馆了。

确定租金上限和选址，其实是一间小小咖啡馆的生命线。在这一条上的疏忽和不重视，是很多咖啡馆无以为继关门大吉的根本原因。投入是一次性的，但租金是每月都要支出的，一旦超过了上限，咖啡馆就不能开，这一点必须严格遵守。参差咖啡一路走来，每一间都还存在，一个重要原因就是我对租金上限原则的坚持。

2008/07/29

小小咖啡馆的投入与装修

到底开间小咖啡馆得花多少钱，这是我最常被问到的问题了。以我这 5 年的经历来看，这个问题应该是倒过来的。也就是说一间咖啡馆投入不可以超过多少钱。

我的经验是，总投入（包括转让费、装修、设备、家具、租赁保证金、前 3 个月租金）不可以超过每平方米 2 000 元。举个例子，如果面积是 70 平方米，那么总投入不应该超过 14 万。如果你以前心里没有什么概念，或者曾经被错误引导过，对我说的这个所谓的公式有些怀疑，那么我可以很肯定地告诉你，参差咖啡所有的店都在我说的这个上限之内。

这一上限原则和你的自有资金多少是没有关系的，我们是在就店论店。之前说过的，投资回收不需要我们天天算计，但是一开始需要一种理性的分析，控制好投资额，追求一个理性合理的回收期。一上来就摆出一副不在乎的姿态是不可取的。

　　下面我们可以一起测算一下，以上面说的一间 70 平方米的咖啡馆为例。总投入控制在 14 万元，结合之前说的租金上限原则，租金每月 3 000 元。如果你是自雇的话，暂时不算人工，只算租金、水电、税金、一些杂费等，每月固定开支大约 6 000 元，每天经营成本约 200 元。按咖啡毛利率 65% 计算，每天需要实现 300 元销售就可以保本，换算成咖啡大约 17 杯（以咖啡平均价格 18 元/杯计）。正常情况下，半年后每天销售 40 杯咖啡以上并不难实现（这里只以咖啡单价计算，西点、杂货之类也计入其中），则每天纯利润可以达到近 300 元，每月 8 000 元左右，一年半，最长两年就可以收回投资。这个投资回报期是合理并可以接受的，实现起来也不是非常困难。即便因为一些不可预期的情况导致延长回收期，也是可以接受的。

　　至于装修，既然总投资额已经确定，每平方米的装修投入控制在大约 1 200 元左右就可以了。还是以 70 平方米为例，装修费用不要超过 9 万元。我这里指的装修是含家具的，强烈建议以二手为主，实在找不到满意的，也不要追求豪华，因为你再怎么豪华也豪华不过五星级酒店的大堂吧。对小咖啡馆来说，追求有特色是装修的唯一原则。

一屋子的二手桌椅

至于怎么布局，怎么装饰，大可以天马行空，首先为自己着想，因为你是店的主人，你会天天待在里面，而客人不会，所以布局装饰都要依自己的喜好，不必过多考虑客人的感受。千万不要为了装饰而装饰，弄些名画挂一屋子。其实，一间咖啡馆筹备的过程是很美好的，根据自己的兴趣和爱好，平时多收集好玩的东西，东西不够空着都没关系，不要追求一步到位。咖啡馆的日子还长着呢，慢慢来。

靠装饰吸引客人跟靠长相吸引异性道理差不多，咖啡馆最终深深吸引客人反复来的原因一定是很综合的，比如可爱的老板，咖啡馆独特的精神气质，美味的咖啡，动听的音乐，有品位的好书，有创意的新鲜东西，常有好玩的人出没，常组织有意思的活动，等等。

再说说咖啡设备，我的建议是循序渐进，也不要追求一步到位，先从虹吸壶、手冲壶、相对便宜的商用意式咖啡设备开始，待生意稳定了，觉得每天意式浓缩出品够多了，比如30杯以上，再考虑逐步升级。道理也很简单，意式机动辄几万元，好的得十几万元，都够我开间咖啡馆了。

最后总结一下，以一间70平方米的小咖啡馆来说，总投资14万元，支出分布大概是这样的：半年租金（通常是交3个月，押3个月）

1.8 万元，装修和家具 8 万元，书籍和软装 1 万元，剩下的大约 3 万元左右采购设备。

备注：上面提到的投资上限适用于武汉这样的二线城市和三四线城市，不包括北上广深这样的一线城市。通常一线城市房租就贵得离谱，所以我很遗憾地觉得，在北上广深这样的一线城市开间小小咖啡馆的难度实在是太大。即便一定要开，比如把咖啡平均单价上浮 30%，则相应的投资也必须控制在上调 30% 以内。否则，回收期要相应延长很多。

经营小小咖啡馆的 5 个误区

A. 迷信主题

一间咖啡馆，特色非常重要，但绝对不可以偏执迷信于某个主题。因为我们主张的是小咖啡馆，聚集的是小众人群，所以主题是可以有，但是这个主题一定只是在完成了小咖啡馆基本功能，并且完成得不错的情况下，根据主人的爱好和特长谨慎小心，不留痕迹地植入的。如果本末倒置，可能就会出现因为过于依赖主题去吸引客户群，一旦所谓主题的生命力短暂，不持续，就会出现火一阵子之后，很快就门庭冷落的局面。比如桌游主题，我就非常不赞成。不仅一群人在那儿玩桌游可能影响到其他不玩的客人，而且还有一个很简单的道理，如果这股风过了呢？岂不是又得寻找下一个主题？

B. 风格多变

这种现象在小咖啡馆里经常会出现。因为小，改造和装饰的成本不高，所以主人心血来潮就会想要变一变。我的看法是，小变没问题，大变要慎重。咖啡馆开得好，会成为很多老客人生活的一部分，他们甚至天天会出现在里面，久而久之对环境是有依赖感和亲切感的。对于风格和与之相应的客户群，咖啡馆其实是有自我选择功能的，喜欢的人会非常喜欢，不喜欢的当然也会大有人在，主人万万不可过于任性或者听不同客人的不同意见把咖啡馆改来改去。尤其是因为生意不好就想改头换面，要知道生意不好的原因有很多，一定要先从别的方面寻找，先从内在而不是视觉方面找原因。

C. 轻易妥协

咖啡馆是需要守的，迅速吸引大量回头客基本不可能。因为即便人家很喜欢你这里，生活习性、作息习惯的改变也是需要一个过程的。指望客人都一见钟情似的来了一次就每天想来，每周想来，那也得人家来得了啊。我总说根深才能叶茂，慢慢形成的回头客才是最忠实的顾

客。这样的客人不花点时间是攒不起来的。前面提到的武汉第0间参差咖啡就经过了这样一个过程，如果我们没有一点耐心，对自己营造的环境没有足够的信心，就有可能中途失去信心，误以为地方不好呀，客人可能不喜欢呀，胡思乱想一通之后，殊不知你的回头客正堵在路上朝你这儿赶呢。

D. 活动杂乱

以前有个朋友自己有间咖啡馆，生意一般，做了一次相亲活动后感觉尝到了甜头，因为那一天营业额是平时三倍。于是之后就老琢磨着接各种活动，也不管适合不适合自己场地，符不符合自己咖啡馆风格，反正是活动就想接。偶尔在生意清淡的某一天或者时间段接些活动本来没有问题，但是过于频繁，而且连自己不喜欢不擅长的活动也搞，那就有些得不偿失了。看起来这个月接了若干活动营业额猛增，其实会因此失去原本喜欢这里的老顾客，久而久之就又落入了饮鸩止渴的怪圈。没有回头客，没有老顾客，一间咖啡馆是开不下去的。

E. 呼朋唤友

　　前面说了，没有从陌生人培养成的回头客和老顾客，一间小咖啡馆哪怕再小也是开不下去的。有些人因为咖啡馆很小而不在乎这一点，常常约几个老友腻在咖啡馆里，又因为都是老友，行为举止可能多少会有些随意，一旦有外人进来多少会有误闯私人地盘的感觉。这样的情况一旦发生，再想补救就很困难了。咖啡馆最有趣的地方其实就是把陌生人变成老客人的过程，我的体会是，不远不近，有礼有节，适度保持距离是最佳状态。老友聚会大可以换个地方，经营场所一定要为随时可能进来的客人着想。

小小咖啡馆 12 温馨实例贴士

    5 年的咖啡馆生活中，我闲来无事的时候就喜欢瞎琢磨。受王小波的影响，笃信有趣才是硬道理，所以想出来的每个点子都是希望我的参差咖啡馆在客人们眼里是一个有趣的地方。很多贴士不一定直接带来什么生意和收入，但是久了，客人对我们的认同会越来越多，印象也会越来越深，喜欢的会越来越喜欢。以下是我 5 年来尝试过，效果不错的温馨贴士，有效程度不分先后，大家可以结合自己的特长和喜好，有选择使用。

1. 喝咖啡加 5 元，送鲜花一束

咖啡馆里鲜花是不可少的，采购鲜花的时候不妨多买一些。客人们中间一定会有需要鲜花但是又无暇去买的。突然看到这个小服务，没准就来一小束。记住分成一小束一小束，用旧报纸随意包起来，不必大把大把的。很多客人都非常喜欢我们这个很贴心的小创意。

2. 顾客照片墙，留在店里的美好回忆

有些酒吧、咖啡馆常会把客人的名片收集起来集中贴到墙上，个人认为这个在旅游景点比较合适，反正谁也不认识谁，后来的人看到会觉得这个地方人气旺，对店主倒是有帮助。咖啡馆里的照片墙比较适合针对老顾客，留下在这里的美好瞬间，来年再看，感触良多。

3. 私人咖啡杯存放

这是一个咖啡馆必须做的，鼓励客人带自己的杯子来。客人嫌麻烦的话，店里还可以采购一些好看的杯子供客人选购。不同的客人喜欢的咖啡也不一样，店主可以通过杯子记住客人的专爱。不仅拉近了距离，还增加了客人的归属感。

4. 好书、二手书、过刊、新鲜报纸

咖啡馆里一定要有一些耐看的好书，就算新书太贵不可能大量采购，也可以去淘些二手的品质不错的书籍以及一些可读性强的好杂志过刊。客人在等人或者独处的时候，手边有点读物会自然很多。订一份本地畅销报纸也是必要的，功能如前。

5. 自制手工小饼干小西点

一份不错的小手工饼干或者西点是咖啡的绝配。这些东西只要上手了，做起来都不难。因为是手工的，所以比起在外面买的更有亲切感。何况小咖啡馆总有不那么忙的时候，自己动手既打发了时间，也是个乐趣。碰到有兴趣学习的客人还可以手把手教给他。

6. 跳蚤市场

如果客户群有了一定数量，小型的店内跳蚤市场是可以尝试的。可以提前预告，选个周末邀请有旧东西出手的客人来免费摆摊。喝着咖啡，推荐一下自己的宝贝，即便没有成交，也算是度过了一个慵懒的下午。

7. 免费借书

如果你喜欢看书，而且店里已经收集了不少好书，不妨告诉客人看到喜欢的可以借回家看，但是要登个记，按书价收个押金。万一客人忘记还了，就当是卖给他了呗。

8. 拜托起个好名字

一间咖啡馆的名字其实是很重要的，巧妙而又上口的名字可以带出主人想传达的理念，会让人愿意帮你传播。

抄袭模仿最要不得，如辛巴克、星吧客；没什么个性记不住，如爱上咖啡、恋上咖啡；俗而酸不拉几的有棋牌室嫌疑的不要用，如左岸咖啡、可可咖啡。

有意思容易被记住的还不错：如睡不着咖啡馆、路上捡到一只猫咖啡馆、蛙咖啡馆。

9. 杂货铺

如果馆主喜欢旅行，可以每次多带一些旅行战利品回来，也可以鼓励老客人把战利品放到店里来寄售。久而久之没准一个很有特色的小杂货铺就这样慢慢形成了。

10. 软沙发和硬椅子

小咖啡馆不要过于理想主义，沙发当然舒服，当然受人欢迎，但是，还是必须以硬椅子为主，软沙发只能是点缀，椅子和沙发的比例为7:3。道理你懂的。写出来是让你记得要听我的，可别听朋友和客人的。

11. 新鲜烘焙是必需的

　　我们都知道新鲜烘焙的面包有多么香，多么诱人，却不一定知道在那些弥漫着煲仔饭味道的伪咖啡馆里，因为咖啡变成了点缀，出现频率不高，所以他们对咖啡品质的关注远远低于对正餐品质的关注。据我所知，他们使用的咖啡豆很少是自己烘焙的。个人体验是，喝过新鲜烘焙的咖啡豆之后，就再也不想喝"传统"伪咖啡馆的咖啡了。我的感觉代表了大多数人的想法，在伪咖啡馆大行其道的地方，由于不重视，陈咖啡非常普遍，而这种陈咖啡却几乎被人们认为就是咖啡本身的味道，以至于有些人喝了这种咖啡之后继续选择喝速溶咖啡。而在我们店里，情况刚刚相反。所以，坚持新鲜烘焙路线，假以时日，你一定能培养出你的忠实顾客。

　　个人认为，咖啡豆的新鲜度占了咖啡口味的 80%，所以建议：

　　A. 尽可能自己烘焙，小型机器并不贵，自己动手乐趣多多。

　　B. 找熟悉的信得过的新鲜烘焙供应商，小批量进货，超过 45 天的豆子坚决作废。

12. 旧货市场淘宝

前面说了控制投入的重要性，加上现在环保理念深入人心，用二手家具设备都是值得推崇的。问题是你怎么能淘得到。在武汉，我的很多客人老是羡慕我淘到的一些东西，问我在哪儿淘的，可是告诉他们，他们还是无功而返。原因很简单，第一淘宝要经常去，得碰。第二，淘过一两次之后要和旧货市场的人沟通，告诉他们你的喜好，留个联系方式，再有类似的东西，他们就会通知你。第三，要有变废为宝的眼光，有些东西也许在你眼里就是个废物，但是在我眼里稍加改造，它就成了你刮目相看的好东西了。

废弃的大吊灯

豆瓣、微博与咖啡馆

网络时代利用网络工具为自己的咖啡馆做宣传，这一点是不言而喻的。大家都很清楚，也不可能回避。我想在这里和大家分享豆瓣和微博对参差咖啡的帮助，这些帮助远远超过了我的预期。大家先看一组数据，然后我再来逐条进行分析和解释，怎样可以让这两个网络工具帮你实现超预期的效果。

2009 年 4 月 11 日，参差咖啡豆瓣小站发起了第一个活动，点击感兴趣的 38 人，点击参加的 13 人，实到人数肯定是个位数。当时喜欢我们小站的人数大概不到 100 个左右吧，具体数字我不记得了，只记得当时武汉一个著名的 LIVEHOUSE 的豆瓣小站关注者是 5 000 人，当时这个数字好像是上限，让我好生羡慕。

2012 年 2 月 4 日，我的偶像 LIVEHOUSE 豆瓣小站的喜爱人数仍然高过参差咖啡，但是只多不到 200 个了，参差咖啡书屋的豆瓣小站喜爱人数也达到了 11 000 多个。这是我 2009 年 4 月 11 日的时候怎么也不敢想的事情。当然还有一个重要的事实就是，仅仅是好生羡慕是没有用的，在之后的两年多时间里，我组织了一百多个自己觉得好玩，大家也觉得好玩的活动。是这些活动的发起和举办，让大家一点点、一步步越来越了解我们，进而愿意关注我们。可以肯定，如果没有豆瓣，参差咖啡书屋不会有今天的知名度，反过来，参差咖啡书屋经常举办的活动又吸引了更多的人关注我们的小站。这是一个完美的良性循环。

2010 年 6 月，我注册了参差咖啡的新浪微博，半年后，到 2011 年 1 月 8 日，开通微博近半年的时间，粉丝达到一千多。当时和一个朋友打赌，一年以后我认为粉丝能够达到 5 000，朋友认为不可能。之所以打赌，说明我也就是瞎猜，能不能实现不知道，但是可以试试。谁曾想，后面的情况有些出乎我的意料，到 2011 年年中的时候粉丝就过了 5 000 了，到我和朋友打赌约定的 2012 年 1 月 8 日，粉丝早就过了 1 万了，超额完成任务，这可是我当初没有想到的。

自从有了微博，大家都听说过这个说法：粉丝过 1 万，你就是本内刊；粉丝过 10 万，你就是本杂志；粉丝过 100 万，你就是份都市报；粉丝过千万，你就是参考消息；粉丝过亿，你就是春晚了。刚看到这个的时候，我其实也不以为意，因为当时我的粉丝才几十个，我根本不能想象有 10 万粉丝是什么样子的，哪怕 1 万个粉丝对我这样一个默默无闻开几间小咖啡馆的人来说都是遥不可及的。现在一年多下来，1 万个粉丝的目标实现，那么 1 万到 10 万会不会重复 1000 到 1 万这个过程呢？不得而知。不过这已经不是重点了，重点是我大概知道为什么非名人的我能够实现粉丝的快速增长，粉丝的快速增长对一个咖啡馆来说有什么益处。

粉丝达到 10 万，你就相当于一本杂志，这个没有错，你被看到的机会大了，但是我在这里想讲的还不只是能被人看到，对一个咖啡馆来说，什么被人看到其实更重要。为什么这么说呢？我前面一直在说开咖啡馆是一种生活方式，咖啡馆应该由主人亲自经营，一间咖啡除了环境好，服务好，咖啡好，还要有特色，有精神气质，和一个人一样。微博的出现，不夸张地说，对参差咖啡真是一种天赐。因为如果没有微博，我就不可能也不敢开那么多店，原因很简单——我分身乏术。但是微博帮我超脱出每个实体店，为参差咖啡不断塑造出整体的精神气质和生活气息。

　　我的微博写得比较勤，内容主要包括咖啡知识、生活理念、价值观、旅行分享等，80%原创，基本上通过微博是可以了解我们的经营理念和生活态度的。如果你只是个传声筒，没有原创都是转发，那别人直接关注发声源就行了，关注你干吗？其实事后想想，应该就是这个原因，你坚持不断地写，认同和喜欢你的人会越来越了解你。当然写多了别人可能会烦你，发微博也要注意频率，不过最终留下来的基本都是真心喜欢和认同你的粉丝了。

　　总结下来，微博其实是你实体店特色形成的一个重要补充，是你和客人们实现交流的很好的工具。如果实体店还有价值观、生活观的话，微博就是你全天候的表达窗口。这些补充是单单在实体店里很难短时间完成的。所以，说微博成就了今天的参差咖啡其实也都不为过。

　　下面是我近两年写下的一部分微博，以及我和粉丝的互动记录，应该可以证明我上面说的那些道理吧，看了这些微博，你肯定也能对参差咖啡更加了解了。

我的微博：http://weibo.com/cccoffee

．．

　　如果没有一杯咖啡，我的一天就没有开始；如果没有翻几页书，我这一周就忐忑不安；如果没有已经完成和正在计划的远行，我这一年就白老了！

．．

　　以诚待人是对自己好，因为这样做人简单轻松，别人是否以诚待我就变得不那么重要了。

．．

　　人生是经不起换算的，算来算去就什么都做不了了，最后只能死在原地，白来世上一遭。

．．

　　"不可忘记用爱心接待客旅，因为曾有接待客旅的，不知不觉就接待了天使。——《希伯来书》"。每一个小的参差咖啡馆门口都写了这句话。

阿登伯格曾经写下这样的诗句："你如果心情忧郁，不管是为了什么，去咖啡馆！你所得仅仅 400 克朗，却愿意豪放地花 500，去咖啡馆！你仇视周围，蔑视左右的人们，但又不能缺少他们，去咖啡馆！"

咖啡馆不必为了装饰而装饰，它最好是一个堆积记忆和梦想的地方。比如，这个@参差咖啡国贸店 角落里的老古董，是 1997 年我去上海 Sherley's 酒吧看一个刚果乐队演出，在东台路上淘的，10 年之后才放进了我的咖啡馆。

去年今天，和朋友打赌说一年后的今天粉丝能过 5 000。现在，不知不觉一整年到了，粉丝已经过万了！赢来的一打喜力啤酒早喝完了。这一结果再次证明答案在过程中飘荡：只要坚持不懈地做喜欢的事情，不去在意结果，好的结果早已在过程中潜伏着！

　　奥地利作家斯蒂芬·茨威格这样来形容咖啡文化："咖啡馆始终是一个接触和接受新闻的最好场所。要了解这一点，人们必须首先明白咖啡馆是什么。事实上，咖啡馆是一个在世界上任何其他地方都找不到的文化机构，是一个民主俱乐部，而入场券不过是一杯咖啡的价钱。"

　　参差之名来自英国大哲罗素的一句话："参差多态乃幸福本源"，但这句话我是从王小波的书里看到的。是小波的书给我打开了一扇窗，通过这扇窗子，我认识了罗素、卡尔维诺、杜拉斯、罗曼·罗兰、福柯、奥威尔……也开始理解参差多态才是美。

　　你必须承认，错过是你一生的常态。当你绞尽脑汁，心力交瘁，气喘吁吁，汗流浃背，真心为了生存和更好的生活又打又拼的时候，其实你已经错过了真正的好的生活！你只是在一个并不属于你的坑里自生自灭。可是，一旦你上路了，整个世界都在等着你，虽然还是会错过，但是好心情会一直跟着你！

　　旅行也要学会随遇而安，淡然一点，走走停停，不要害怕错过什么，因为在路上，你就已经收获了自由自在的好心情！切忌过于贪婪，恨不得一次玩遍所有传说中好景点，累死累活不说，走马观花反而少了真实体验！要知道，当你一直在担心怕错过了什么的时候，其实你已经错过了旅行的意义！

回家是为了下一次旅行的休整！因为回家虽好，但终归是找不到旅行让人感受到的那种自由！自由！自由！

如果你不努力去发现有趣，那么空虚、无趣和无聊，甚至虚无，很快就会填满你的脑子！弥漫你的生活！

西北湖附近上班的兄弟姐妹们奔走相告吧！参差花房咖啡新增柬埔寨草编吊床！是大家跷班偷懒之首选！不要怕被人认出来！我们免费提供墨镜！哈哈哈。

快乐指数=你通过努力所做到的/你对自己的期望。期望越低，快乐指数就会越高！我对自己的期望一直很低，所以快乐指数就总是很高。你呢？对自己的期望越高，小心你的快乐指数哦！

If you have no idea for fun, please read！如果你懒得读书，那就躺着发呆吧，千万不要去做任何事，因为那多半是蠢事傻事！

　　与其拼命赚钱，然后再花大钱去买快乐，还不如，直接把快乐就当成利润！与其左顾右盼，环顾四周渴求他人认同，还不如，关注内心让快乐由心而生！

　　参差咖啡是有价值观的咖啡馆，我们崇尚慢生活，认为发展要理性，不必超越人的正常承载；我们相信阅读是城市文明的显著特征和标志，希望生活的城市越来越美好，所以我们鼓励阅读，而鼓励阅读最好的方式就是提供一个又一个咖啡和书香交织的空间，绝对不是在交通要道竖起一块块强势的某日报电子大屏幕！

　　花房咖啡里没有客人，但却是我觉得最安逸的时候。自己来一杯咖啡，放一张喜欢的碟，窝在沙发里，开始想心思，也许，是不是要计划一次日本或者济州岛旅行呢？——这就是为什么"小的是美好的"！

能够陪伴你一生的，当然不是你的父母，也不是你的伴侣，更不是你的孩子，唯有你的兴趣和爱好将忠实地陪你到死！所以如果还没有发现你真的喜欢得难以放手的爱好，要赶紧啊！否则你注定孤独终老！

人们之所以觉得无聊，完全是因为现实得只看着眼前这点虚幻的安稳和蝇头小利，他们不相信好奇心能把人引向未知但美好的未来！

如果循规蹈矩、随波逐流，活在别人的期望中也是那么累而憋屈，那为什么不坚持自我，为自己的梦想而活？你会发现，原来你以为很困难的选择，一旦选择了就海阔天空了！原来困扰你的人事物都变得无足轻重了，因为你已然没有时间庸人自扰，你关注的只有你真正的兴趣爱好和你自己的生活！

如果连眼前唾手可得的美好都不能感受和抓住，又怎么能够奢望美好的未来呢？难道未来就是你以为的将来的某个日子或某段日子，而今天是可以被忽略和放弃的吗？我告诉你吧：未来是由此刻、现在和每一个今天组成的！

一般来说梦想最终没能实现，其实不是别的原因，一定只是梦想不够强烈！

记住，当一个男人为了你放弃尊严的时候，姑娘，你千万不要得意，因为这样的男人其实可能放弃一切，包括你！

只要过程美好而不纠结，美好的未来永远在前面等着你！不，事实上，应该是，美好的未来就已经在美好的过程中了！想用憋屈的、隐忍的、纠结的、痛苦的、超负荷的、苦哈哈的过程去换一个自以为美好的未来，那是极其愚昧的！而且肯定没有未来！因为未来其实就渗透在过程中！

你们要进窄门。因为引到灭亡，那门是宽的，路是大的，进去的人也多；引到永生，那门是窄的，路是小的，找着的人也少。——马太福音，第七章十三至十四节。

参差咖啡正在聚集着这种有自我教育能力的年轻人！他们认同参差多态乃幸福本源，努力地试图摆脱主流体系！我们一起快乐地做着自己喜欢的事情，而不是别人认为正确和应该做的事情，我们看似边缘，但我们离自己的心灵很近！我们会慢慢变成主流！参差咖啡因为有这样的年轻人而一定会有美好未来！

基督教告诉我们人是会死的，人是有限的！我的理解是：人不仅会病死、老死，人如果不意识到自己是有限的，还会把自己累死、怄死、逼死、比死、悔死、气死、纵死、忙死，各种自己把自己弄死！所以，随心所欲，学会放弃，累了赶紧爬到吊床里来两杯咖啡。今日事已毕，明天自有明天的喜怒哀乐，由他去！

开小咖啡馆不强求一步到位，慢慢收拾也是种乐趣。这不，花房咖啡又添了一处小景。睡莲开花了！

这么多年来，我一直有买书的习惯，每当无聊无奈的时候，就找本书来打发时间。如果不是这样，我几乎可以肯定，我一定会持续地在妄自菲薄和妄自尊大的两极跳来跳去。很幸运，现在的我知道，我是有限的，但是还能做一点事情，这样就够了，很好！

道理能作用于人们的思维和行为，需要有按此道理行事而获得真正幸福的榜样！如果没有，那这道理就不成立，是假的，中国盛产这类假道理！我希望能成为一个按自己喜欢的方式生活，不妥协不犹疑，一直幸福快乐的榜样！因为我正做着自己喜欢的事情，所谓的成功将只是这一快乐过程的副产品！不是目的！

一定要做自己喜欢的事情，这个太重要了！因为如果你做着自己不喜欢的事情，当终于赚到了很多钱，你就一定会去花钱买开心。而无数的事实告诉我们，开心是买不来的！花钱能买到的只是快感，不是开心！快感当然好，它符合人性。但是快感的叠加也还是不能等于开心！快感来自身体，持续的开心才是幸福和快乐，它发自心灵！

迄今为止，我还没有发现除了阅读、旅行、思考之外能让内心充实和平静的任何方式！就算有，我想，那也只能在阅读、旅行、思考中寻得！

好奇心是通向你真正爱好的桥梁，没有好奇心很难找到真正的爱好，没有爱好自然谈不上什么梦想！所以对世界充满好奇，少些世故，保持一颗童心吧！那不是幼稚，是天赐的智慧！一旦丢失，再难找回！

有梦想，正走在实现梦想的路上，不急不躁，不紧不慢，这种感觉真幸福!

总有记者问我开了这么多参差，最喜欢哪一间参差咖啡，我没有落入俗套地说是下一间。我会告诉他：曾有人问杜尚一生中最好的作品是什么? 杜尚说："是我度过的美好的时光。"

如果你有买书的习惯，难免会买到些不是很满意的书。没关系，别在意，搁洗手间里，坐马桶的时候随便翻翻就是了。毕竟，买书本身已经是对自己的一种奖赏，你当然不必因为不巧碰到太一般的书，而从此不再奖赏自己了!

人类来自大自然，所以我们即使身处繁华，潜意识里仍能感受到现代文明的负面压迫——旅行，就是弥补现代城市生活缺憾的最好方式！要不我们怎么都喜欢说"出去散散心"呢。

出门就快乐，上路就开心。普罗旺斯是这次行程的目的地，但是竟然没有什么自己的照片。原因是，在那么舒服的环境下，我实在是懒得像以前那样随时背着照相机，到处一通乱拍。躺在户外的沙发上，呼吸着当地特有的空气，一手咖啡，一本书，时间就这样舒坦地流走，可惜吗？不可惜。

现在想想，小时候那些被我羡慕过的人，现在都没我过得好。所以，如果你现在觉得自己和周围的人不一样，有点格格不入，那可能是个好兆头，哈哈哈哈！

人的差异通常在于八小时之外：每一个人的时间都是一样的，没有读书习惯的人总以没时间为借口，而有读书习惯的人视书为空气和水，一天也离不开！日积月累下来，有人如空壳一样四处飘浮，活得越来越茫然；有人精神世界日益丰盈，不再浮躁，活得越来越踏实。

　　大学在我看来，是进入社会的缓冲阶段，别指望从学校学到什么谋生技能，好好利用这个时间，没有生活压力，做自己想做的事情——阅读、旅行、认清自己是个什么东西！进大学之后，过了第一个学期的新鲜感，我就义无反顾地逃了 70% 的课到外面打工，当杂货铺店员，倒买倒卖。每学期赚到的钱就够假期出趟远门了，大学期间每一个假期我都离开了武汉。关于旅行，我的心得是，去哪里不太重要，关键是要出门上路，最好一个人。在路上，收获没有必要预设，反正一定会有。

　　有两个 What 你问过自己吗？——我到底是什么？我到底要什么？很多人惰于思考，不认真审视和了解自己，结果常做些力不能及的事情。不了解自己，自然想要什么也就糊里糊涂，如此一来，就会老是觉得自己在白忙活。年复一年，这个人就会一直活在纠结和浑噩之中，毫无幸福感！认识自己，就不会怨天尤人；目标清晰，才可能知足常乐！

　　3 年时间里，陆续开了 9 间参差咖啡馆，如今都慢慢开始有了收益，如果你要问我怎么做到的，没什么秘诀！我只知道，我喜欢待在我的咖啡馆，偶尔远行，回到武汉都会直奔自己的咖啡馆而不是回家。这，是不是答案其实隐藏在一个美好过程中的很好证明呢？

　　大多数人在追求快乐时急得上气不接下气，以至于和快乐擦肩而过。——克尔凯郭尔

　　当你愿意为一个人付出的时候，更幸福的是你！施之者比受之者有福！

　　如果连读一本书的耐心都没有了，怎么能读懂一个人呢！

　　事实证明，开咖啡馆需要具备的基本素质之一就是"耐得住寂寞"——比如，喜欢看书，没有客人来，可以看书。

@参差咖啡与粉丝的互动

> **@参差咖啡** ：貌似武汉每个新世界都有你们的店哦，我第一次发现你们的时候是在水果湖。同学推荐说那里的奶茶很好喝，去试了试，果然还不错。小店很温馨，当时还在想为什么会叫这么个名字，后来有天站在新世界国贸店下面看公司的牌子，发现你们居然是连锁店，真好！开一间这样的咖啡店是我的梦想

> **@参差咖啡** ：武汉的媒体人可能都喜欢参差，因为在我们缺少诗意的时候，在那里能找到一丝安慰。久而久之，参差成了一个不常路过，但在心里时常闪过的，一个意味着某种希望的词，当然，伴随着咖啡味。

> **@参差咖啡** ：感谢你给累了的心一个休息的地方……每次累了都会想到去参差咖啡坐坐，无论是哪个店……

> **@参差咖啡** ：旅途归来，能尝到一杯酸度恰到好处的曼特宁真是件幸福的事。疲惫也一扫而空。这棵点着灯泡的树好有爱。希望@参差阳台咖啡 能一直在这儿。

@参差咖啡：今天很开心，找到了我梦中的咖啡屋。有花，有草，有书。值得开心的是可以和半年多未见的朋友叙旧。原来生活可以如此美妙！

@参差咖啡：我要开一家名叫"我不会做咖啡"的咖啡屋，因为我确实不会做咖啡，但是我喜欢那种安逸的感觉。在那片小空间里得要有书、有我亲手做的蛋糕、有点小酒、有个相片角。总有一天，我会把这些人来人往的故事汇集成文字，让大家知道有多少人在很用心地生活。是的，写一本书，就是我的梦想。

#参差咖啡梦想大晒# 很小的时候，梦想是站上 T 台，后来果然长到了模特的身高，却没有模特的身材。后来才发现，能够一辈子陪伴自己的只有书，现在的梦想是走遍所有有意思的书店，有一天，能够重新走进校园，去学新闻。从此，每天写写读读看看玩玩，当然还有相爱的人陪伴。

#参差咖啡梦想大晒# 我的梦想就是开一家以自己名字命名的甜品咖啡店，所有的甜品都是我自己手工做的，所有的咖啡也都是自己挑选磨制的！而且都是抹茶味道的东西。最关键的是，随心所欲，我想做就做，不想做就关门！只是想让自己可以很开心地去享受甜食带来的幸福！

#参差咖啡梦想大晒# 12 岁的时候，梦想是渴望有一天能环游世界。后来发现这样有多不容易，于是 17 岁计划先要走遍国内大小城市。现在19 岁，到过的城市离全国还很远，但我相信只要前行，总有一天目标会达到。也许在路上目标不停变换，也许最后到的地方也已经不是预定的，但是有过这样的奔跑追逐就是我现在的梦想。

#参差咖啡梦想大晒# 我的梦想是在远洋邮轮上当厨师或是弹钢琴，以愉悦大家的舌头和耳朵为生。在一望无际的大海上看银河，看北斗七星，看大麦哲伦星云，感受孤独，也感受看到陆地的喜悦。

#参差咖啡梦想大晒# 从事媒体工作，梦想有一间属于自己的房子，有巨大的落地窗，书随时可拿，墙上是自己的画、海报还有照片，枕边耳机、眼罩、镜子、手机都是伸手即能够到的状态。或是扎个马尾素面朝天，大T恤甩着，赤着脚，吆喝朋友打牌聚餐。等放长假的时候，背着大大的双肩包，到处流浪。

#参差咖啡梦想大晒# 去大兴安岭盖一间木屋，做个守林人，在树林中阳光的缝隙间看书做女红，喂各式家禽，和山中的老农攀山采药，过着比梭罗丰富的生活。

#参差咖啡梦想大晒# 我的梦想是，去地球的另一端，继续学自己喜欢的专业，不在乎这个专业有没有钱赚，有没有社会地位，只要让我充实谦逊，平安快乐。

#参差咖啡梦想大晒# 我的梦想是能拍出别人和自己都满意的图片，背着相机去所有美好而又执着的地方寻找。学会成年人该做的事情但不丢弃年轻的纯真。到了25岁之后，开一家多功能综合店，可以为人拍照，可以看书，可以闻到咖啡的醇香，可以有更多勇气来活出梦想这个词。当然，我不能忘了写字。@参差咖啡

#参差咖啡梦想大晒#我的梦想就是，有间不大不小的房子，有只大大的狗，一只胖胖的猫，一个愿意和我过日子的人。

#参差咖啡梦想大晒#每个人的梦想都是自由自在无拘无束，我的梦想是什么？有一份好的工作，一份自己喜爱的事业，每天忙忙碌碌，却总能在忙碌中抽出闲来喝口咖啡。

小小咖啡馆里可以发生什么？

一间咖啡馆除了要有好咖啡、好环境、好服务，好玩恐怕是我能想到的最佳宣传和推广方式了。小咖啡馆属于小本经营，当然不可能去做什么媒体广告，但是"窄告"是可以做的。"窄告"的最佳方式就是在你的咖啡馆里，总是发生一些好玩的事情，参与这些好玩事情的客人自然就能成为你的忠实拥护者和传播者。久而久之，"窄告"就能变成"宽告"，假以时日，"广告"效果也就慢慢达成了。

以下是我这几年里在店内，同时使用豆瓣和微博工具发起的几个有趣又反响不错的活动。

记住，办这样的活动有几个原则：

A. 有趣好玩能够引起共鸣。

B. 不可计较当时的收益。

C. 把握节奏不要过于频繁。

D. 遵循自己的价值观不偏离。

E. 自己喜欢擅长并能够坚持办。

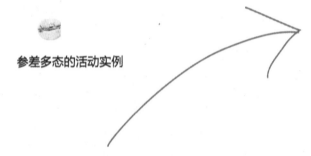

参差多态的活动实例

分析 ：适合新店开业后不久，用来吸引新客人，对老客人和朋友也算是
一种回报。用这样 10 杯不赚钱的咖啡开始一个周末，给店主也
平添一些乐趣，反正又不亏本。必须强调好玩的成分，别认为客
人来了也只是在贪小便宜。如果为此而来的人不是很多也没必要
气馁，因为店主也只是觉得好玩而已。持续时间通常 3~4 周就可
以了，不必太长时间。太短效果不明显，太长新鲜感会没有，还
会让人产生你这儿生意清淡的感觉。

效果 ：活动参与度还是比较高的，基本每次纸条都能被取完。很多非本
写字楼的人也因此成了老客人。效果不错。

2元，能换来什么？
一个慵懒的咖啡周末

我知道，如果你喜欢这个地方，

不会在乎花上 10 块钱来杯新鲜醇香的咖啡，

过一个舒坦慵懒的周末。

不过我们还是乐于玩玩这个有趣的游戏，

回馈喜欢我们的朋友。

OK，周末见！

这里的咖啡可以两块钱一杯！！！

我们有信心，你一定会喜欢这里：

参差咖啡新世界中心店。

以前周六周日不营业，

从 2010 年 4 月 17 日开始，

每个周六周日正常营业，

周六日营业时间 10：30~18：30。

为了帮助大家养成泡这间有书又舒服的咖啡馆的好习惯，

我们从下周六开始这个好玩的游戏：

每周六和周日开门迎客之前，

我们会在店门上贴出写有金额的纸条 10 张：

两块钱：1 张；

三块钱：2 张；

四块钱：3 张；

五块钱：4 张；

你取下写有两块钱的纸条，

就可以用两块钱换取本店任何一种咖啡，

以此类推。

来晚了，纸条被人取完了，则咖啡原价。

来吧！好玩而已！

✱ 评选参差花房姑娘

这是一个玻璃房子，
她在城市中心的西北湖畔，
背后是森林和花园，
前面是西北湖和湖边小径，
门前有棵大树。
她原来是一个玻璃花房，
每次路过，我都想，
要是把她变成一间咖啡馆，
那该多美啊！
非常幸运，
这个玻璃房子现在归参差咖啡了，
我给她起名叫：
参差花房咖啡。

　　一个月了，通过装修过程的照片记录和大家分享了我的喜悦，现在参差花房咖啡已经完工，大家可以去享受这个闹中取静的小花房咖啡了。

　　同时，参差花房姑娘摄影大赛也可以正式开始了，

　　本次活动要选出 5 位公认的花一样美丽的花房姑娘，她们可以在获选后的 1 年内，在本店任何时候喝咖啡——免费。

规则：从咖啡馆建成之日起（5月27日），在花房咖啡内外，以花房咖啡为背景，自摄，或由本店拍摄照片，选出最美的一张张贴于本店。

在以后的3个月内（9月30日截止），由店内的所有有兴趣参与评选的客人现场投票，累计票数最高的5位将于10月1日揭晓。从这一天开始一年内，她们任何时候来喝任何咖啡一律免费（只限花房姑娘本人）。

分析：办这样的活动不可过于牵强，必须是参差花房咖啡这样环境十分有特色，或者内部装饰有特别之处的咖啡馆才适合。之所以奖品是一年免费喝咖啡，是因为作为奖励，这个可谓诱人，但对于一间咖啡馆来说不算什么很大的投入和负担。因为获奖者实际并不可能天天来嘛。

效果：活动的实际效果非常好，参与者踊跃，一度很多摄影爱好者带着模特前来参与。虽然我们的初衷是希望更多个人来参与，但是摄影爱好者们对生意的帮助也是不小的。最后评选出的5位花房姑娘后来实际来兑现的频率和我的最初预计一样并不太多。而参差花房咖啡的知名度从此慢慢提高了很多。

周末到参差煮咖啡
@nd学做红茶牛油戟

精致的甜点无疑是萧瑟冬日里难以抵抗的诱惑，自己动手的话则更添几分乐趣和成就感。

所以我们邀您闲暇的时候到参差咖啡来，和我们一起制作简单美味的西点，欢迎自带包装，把美味和甜蜜分享给家人和朋友！

时间：12月4日和5日下午2：00~5：00

本周主题饼干：红茶牛油戟

单品咖啡：曼特宁*曼巴*哥伦比亚

花式咖啡：拿铁*卡布奇诺*美式摩卡*焦糖玛奇朵

价格：50元/人（咖啡一杯+红茶牛油戟4~6个）

人数：4人一组，限12人

新增3套基础工具

欢迎预约，以便我们备好足够的材料。

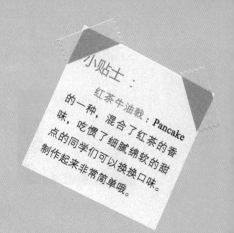

分析 ：教客人煮咖啡是咖啡馆一个非常好的推广方式。很多人会误以
　　　为，教会了客人，那客人可以自己煮咖啡了，来你这儿喝咖啡的
　　　概率不是降低了？错！第一，会煮咖啡的客人能花时间自己在家
　　　或者办公室煮咖啡的实在是少数。第二，在你这儿学过煮咖啡，
　　　有过交流，于是会更喜欢你的店，所以只要出门在外想喝咖啡的
　　　时候，你的店自然会成为他的首选，因为他在你这儿学会煮咖
　　　啡，更爱咖啡了。

效果 ：参差咖啡的新店一直在做类似的活动，每次参与者都不少。只要
　　　坚持做，一定会赢得更多喜爱者。教咖啡的过程就是培养咖啡人
　　　口的过程，也在为自己培养老顾客。通常这样的活动只适合在周
　　　末，而一旦周末客源非常稳定了，频率就可以适当降低了。

便笺纸换咖啡！

翻译《Blowing in the wind》这首歌可以换一杯参差咖啡！

鲍勃·迪伦因为写歌词而获得 2008 年诺贝尔文学奖提名！他堪称赋予了摇滚乐以灵魂，被认为是 20 世纪美国最重要、最有影响力的民谣歌手，被视为 20 世纪 60 年代美国民权运动的代言人。如果没有他，无疑摇滚乐将走一段弯路！"答案在风中飘荡"是他流传最广的歌曲，看看他 1965 年的现场版本吧（网址：http://v.youku.com/v_show/id_XMjMwNDMyNTE2.html），这一年他 24 岁！

如果你有兴趣，找一张便笺纸，在网上搜出歌词，把英文歌词抄写一份，并按你的理解全文翻译在纸上。请你把这张中英文的便笺纸拿到参差咖啡书屋、中心店、国贸店、花房咖啡的任何一间，交给我们的工作人员，我们将送你一杯咖啡表示感谢。我们收集的便笺纸将专门选一个墙面展示出来。

分析 :这样的活动是帮助塑造一间咖啡馆的精神气质，有点输出价值观的意思，可以培养忠实的拥趸。咖啡馆和人一样，一间咖啡馆如果没有些特殊的精神气质和积极正面的价值观，是很难吸引人的。咖啡馆专注咖啡没有错，但是在咖啡好喝的基础上还得试着去满足客人们精神层面的需求进而赢得认同。当然，鲍勃·迪伦是我喜欢的偶像，也是值得被介绍给尚不了解他的客人们的。通过我们的小小提示和活动，客人们有机会参与其中，动手查资料进而用心抄写和翻译，并间接了解主人的价值观，从而产生认同感，这难道是单纯送几杯咖啡能办到的吗？换句话说，白送几杯咖啡是换不来认同感的，反而是这样的有"劳动"付出的参与可以做到。

效果 :参与的情况比我预料的要好得多。参与者非常踊跃，抄写认真，翻译的水平也很高。现在这些便笺还在我们咖啡馆的墙上呢。

*我们一起来建参差微型植物园

突然有个想法，春暖花开了，欢迎有闲情逸致的朋友们把你喜欢的小盆植物、花花草草带到你常去的参差咖啡馆，我们一起在各个参差咖啡里开辟一个"参差微型植物园"，让我们一起来呵护它们，让书香咖啡香交织的参差咖啡再多一点自然的芳香!

作为回报，每小盆可以换参差卡

（购书和喝咖啡 85 折，价值 25 元）一张!

分析：很多咖啡馆为了招揽客人采取会员卡到处乱发一气的做法，我非常不认同。会员卡发放的对象应该是那些喜欢你这儿，而且能够常来的老客人，这样才对客人和咖啡馆都有利。咱们是小咖啡馆，一张会员卡也谈不上什么身份象征。乱发的坏处是，那些不可能常来的人拿到这样的会员卡，对其毫无用处；而对常来的人而言，却显得会员卡少了价值感，少了份珍惜。乱发会员卡对生意其实帮助不大，反而影响店的声誉。所以我们的做法是，出售会员卡，而且有效期 1 年。原因很简单，只有对喜欢常来的人而言，会员卡的价值才能显现。一张会员卡 25 元，有效期 1 年，1 年 52 周，哪怕每月来 1 次，1 年来个 12 次，每次能省下 3 元以上，会员卡的钱就赚回来了。何况 1 个月起码来个两次才算喜欢这儿嘛。不要害怕客人不买，喜欢这里的人一定算得清这笔账的。我们制作的 1 000 张会员卡早早就卖完了。当然，会员卡卖钱并不是我们的目的，希望喜欢我们的客人们常来才是我们的目的，所以我们并不把会员卡当成什么增加收入的工具，于是我们会偶尔搞上面这样的活动，它同样能够引起客人的共鸣和参与。

效果：事实上这个活动的参与度也非常高，通常客人会花十几、二十块钱去买个小植物来换，还会经常来看看自己送的小植物。甚至有客人在离开武汉的时候专程把自己租住屋里以前买的小植物送来交给我们，换走会员卡成了一个纪念品。这个案例充分说明了，一个有爱心的小活动能够赢得高度的认同感！

小小咖啡馆推荐书目

因为坚持参差多态的源泉是阅读、旅行、思考，所以，每一间参差咖啡馆里都有书，即使这个店不适合，也不太可能产生销售，一些基础的精品书籍还是必备的。它们存在的价值，一是主人闲下来的时候可以阅读，二是客人可以从书目大致了解主人的品位和价值取向，三是客人可以随时取阅，甚至可以按前面说的押书款借阅。以下是我花时间挑选的一些常备书目，仅供参考，读者完全可以根据自己的兴趣和爱好去作调整。

编号 书名	作者
1.《重新发现社会》	熊培云
2.《自由在高处》	熊培云
3.《王小波全集》	王小波

4.《爱你就像爱生命》　　　　王小波/李银河

5.《城门开》　　　　　　　　北岛

6.《我在故宫看大门》　　　　维一

7.《我们台湾这些年》　　　　廖信忠

8.《民主的细节》　　　　　　刘瑜

9.《送你一颗子弹》　　　　　刘瑜

10.《往事并不如烟》　　　　　章诒和

11.《伶人往事》　　　　　　　章诒和

12.《我与父辈》　　　　　　　阎连科

13.《青春》　　　　　　　　　韩寒

14.《目送》　　　　　　　　　龙应台

15.《耻辱者手记》　　　　　　摩罗

16.《光荣与梦想》　　　　　　威廉·曼彻斯特

17.《写在人生边上》　　　　　钱钟书

18.《什么都没有发生》　　　　陈冠中

19.《巨流河》　　　　　　　　齐邦媛

20.《金枝》　　　　　　　　　弗雷泽

21.《圣经》

22.《狂热分子》　　　　　埃里克·霍弗

23.《图腾与禁忌》　　　　西格蒙德·弗洛伊德

24.《梦的解析》　　　　　西格蒙德·弗洛伊德

25.《当彩色的声音尝起来是甜的》科学松鼠会

26.《冷浪漫》　　　　　　科学松鼠会

27.《童年的消逝》　　　　尼尔·波兹曼

28.《物种起源》　　　　　达尔文

29.《时间简史》　　　　　史蒂芬·霍金

30.《权力意志》　　　　　尼采

31.《悲剧的诞生》　　　　尼采

32.《退步集》　　　　　　陈丹青

33.《荒废集》　　　　　　陈丹青

34.《纽约琐记》　　　　　陈丹青

35.《此时此地》　　　　　艾未未

36.《神了》　　　　　　　连岳

37.《来去自由》　　　　　连岳

38.《四喜忧国》　　　　张大春

39.《认得几个字》　　　张大春

40.《西夏旅馆》　　　　骆以军

41.《温柔与爆裂》　　　黄碧云

42.《悲观主义的花朵》　廖一梅

43.《琥珀＋恋爱的犀牛》廖一梅

44.《这些人，那些事》　吴念真

45.《昨日书》　　　　　马世芳

46.《野火集》　　　　　龙应台

47.《亲爱的安德烈》　　龙应台

48.《理想的下午》　　　舒国治

49.《流浪集》　　　　　舒国治

50.《历史深处的忧虑》　林达

51.《像自由一样美丽》　林达

52.《一路走来一路读》　林达

53.《查令十字街 84 号》　海莲·汉芙

54.《伍尔芙读书随笔》　弗尼吉亚·伍尔芙

55.《书店的灯光》　　　　刘易斯·布兹比

56.《旅行的艺术》　　　　阿兰·德波顿

57.《哲学的慰藉》　　　　阿兰·德波顿

58.《幸福的建筑》　　　　阿兰·德波顿

59.《爱上浪漫》　　　　　阿兰·德波顿

60.《爱情笔记》　　　　　阿兰·德波顿

61.《寻路中国》　　　　　彼得·海勒斯

62.《当我们旅行》　　　　托尼·惠勒/莫琳·惠勒

63.《迟到的间隔年》　　　孙东纯

64.《窥视印度》　　　　　妹尾河童

65.《边走边啃腌萝卜》　　妹尾河童

66.《三杯茶》　　　　　　葛瑞格·摩顿森

67.《不去会死》　　　　　石田裕辅

68.《我，睡了，81 个人的沙发》　连美恩

69.《搭车去柏林》　　　　刘畅

70.《放任自流的时光》　　苏西·罗托洛

71.《酥油》　　　　　　　江觉迟

72.《伊斯坦布尔：一座城市的记忆》　　奥尔罕·帕慕克

73.《生活在别处》　　米兰·昆德拉

74.《被背叛的遗嘱》　　米兰·昆德拉

75.《中国建筑史》　　梁思成

76.《这个世界会好吗？》　　梁漱溟

77.《胡适之先生晚年谈话录》　　胡颂平

78.《苏东坡传》　　林语堂

79.《吾国与吾民》　　林语堂

80.《周作人自编集》　　周作人

81.《最初的爱情，最后的仪式》　　伊恩·麦克尤恩

82.《梦想家彼得》　　伊恩·麦克尤恩

83.《当我们谈论爱情时，我们在谈论什么》　　雷蒙德·卡佛

84.《心是孤独的猎手》　　卡森·麦卡勒斯

85.《伤心咖啡馆之歌》　　卡森·麦卡勒斯

86.《人生的枷锁》　　毛姆

87.《十一种孤独》　　理查德·耶茨

88.《微物之神》　　阿兰达蒂·洛伊

89.《第二性》   西蒙娜·德·波伏娃

90.《百年孤独》   加西亚·马尔克斯

91.《爱在瘟疫蔓延时》   加西亚·马尔克斯

92.《我们的祖先》   伊塔诺·卡尔维诺

93.《如果在冬夜，一个旅人》   伊塔诺·卡尔维诺

94.《看不见的城市》   伊塔诺·卡尔维诺

95.《追风筝的人》   卡勒德·胡赛尼

96.《一个人的好天气》   青山七惠

97.《失物之书》   约翰·康诺利

98.《写在身体上》   珍妮特·温森特

99.《最后的歌》   尼古拉斯·斯帕克斯

100.《海边的卡夫卡》   村上春树

101.《当我跑步时，我谈些什么》   村上春树

102.《三体》(三部曲)   刘慈欣

103.《冰与火之歌》   乔治·R·R·马丁

104.《亲爱的提奥：梵高自传》   文森特·梵高

105.《杜尚访谈录》   皮埃尔·卡巴纳

106.《自深深处》   奥斯卡·王尔德

107.《夜莺与玫瑰》   奥斯卡·王尔德

108.《苇间风》   威廉·巴特勒·叶芝

109.《玫瑰的秘密》   威廉·巴特勒·叶芝

110.《情书》   岩井俊二

111.《华莱士人鱼》   岩井俊二

112.《丝之屋》   安东尼·赫洛维兹

113.《有些事现在不做，一辈子都不会做了》系列   韩梅梅

114.《用小刀划开》   奈良美智

115.《厨房》   吉本芭娜娜

116.《蜜月旅行》   吉本芭娜娜

117.《我的路》(1~6)   寂地

118.《设计私生活》   欧阳应霁

119.《香港味道》(1、2)   欧阳应霁

120.《两个人住：一切从家徒四壁开始》   欧阳应霁

121.《回家真好》   欧阳应霁

122.《11元的铁道旅行》   刘克襄

140.《情人》　　　　　　玛格丽特·杜拉斯

141.《写作》　　　　　　玛格丽特·杜拉斯

142.《在路上》　　　　　杰克·凯鲁亚克

143.《你好，忧愁》　　　弗朗索瓦丝·萨冈

144.《来自民间的叛逆》　袁越

145.《西藏生死书》　　　索甲仁波切

146.《宽容》　　　　　　房龙

147.《漫漫自由路》　　　纳尔逊·曼德拉

148.《过于喧嚣的孤独》　博·赫拉巴尔

149.《乌克兰拖拉机简史》玛琳娜·柳薇卡

150.《活着》　　　　　　余华

151.《我的帝王生涯》　　苏童

152.《今生今世》　　　　胡兰成

153.《荒人手记》　　　　朱天文

154.《长恨歌》　　　　　王安忆

155.《倾城之恋》　　　　张爱玲

156.《古都》　　　　　　朱天心

157.《撒哈拉的故事》　　　　三毛

158.《梦里花落知多少》　　　三毛

159.《我执》　　　　　　　　梁文道

160.《常识》　　　　　　　　梁文道

161.《一个游荡者的世界》　　许知远

162.《尘埃落定》　　　　　　阿来

163.《鸟，看见我了》　　　　阿乙

164.《丑陋的中国人》　　　　柏杨

165.《先知·沙与沫》　　　　纪伯伦

166.《娱乐至死》　　　　　　尼尔·波兹曼

167.《荷马史诗》　　　　　　荷马

168.《天才在左，疯子在右》　高铭

169.《乌合之众》　　　　　　古斯塔夫·勒庞

170.《怪诞心理学》　　　　　理查德·怀斯曼

171.《路西法效应》　　　　　菲利普·津巴多

172.《少有人走的路》　　　　M·斯科特·派克

173.《遇见未知的自己》　　　张德芬

174.《拆掉思维里的墙》   古典

175.《正见》   宗萨蒋扬钦哲仁波切

176.《24重人格》   卡梅伦·韦斯特

177.《仓央嘉措诗传》   苗欣宇

178.《爱的艺术》   艾·弗洛姆

179.《致D情史》   安德烈·高兹

180.《认识电影》   路易斯·贾内梯

181.《为了报仇看电影》   韩松落

182.《非常罪非常美》   毛尖

183.《爱的地下教育》   彭浩翔

184.《北京法源寺》   李敖

185.《动物凶猛》   王朔

186.《素履之往》   木心

187.《菊与刀》   鲁思·本尼迪克特

188.《佐藤可士和的超级整理术》   佐藤可士和

189.《荒野求生手册》   贝尔·格里尔斯

190.《有一天啊，宝宝》   蔡康永

「因为有你
所以参差」

03
我的参差咖啡日记

　　参差咖啡日记是近 5 年来待在自己的咖啡馆里，闲来无事胡乱写的一些东西。如果说参差咖啡是一间有价值观的咖啡馆，那么这些文字多少能窥探出一些脉络。这些文章里——如果还算是文章的话——还有很多是我对生活的看法，因为一直强调开咖啡馆就是一种生活方式，所以选出一些文章和大家分享，大概也有助于帮大家进入一个咖啡馆主的内心世界。

　　如果说开咖啡馆除了要知道怎么做出一杯好咖啡，除了在选址、装修、成本控制等技术方面要理性慎重之外，爱生活、会生活应该也是必不可缺的素质吧。

参差与小波

崇拜这件事情本身是没有错的，很简单，就是长时间地从心里对某个人有很深的敬意。但是我们周围的很多人，尤其是粉丝这个词流行开来以后，好像一般不太愿意公开承认自己崇拜谁。但老实说，对这样的现象，我很着急！因为至少在我心里，这个世界上的确有很多值得崇拜的人。你不承认要么是违心的，要么是你还不知道有这样的人存在，可是这世界上有那么多人完成了我不可能完成的事情，难道不值得崇拜？比如，前几天有人问我："你崇拜他吗？"我毫不犹豫地回答："当然！"这个人就是王小波。

读书读着读着会心地笑了，我不知别人有没有这样的经历，但我肯定是有的。而且第一次捧书微笑的时候，手里就是王小波的书。既然一个人坐在那里被一本书弄笑了，我自然对作者心存感激，而且这种事情以前从来没有发生过，那我理所当然地还会心存敬意。十几年前的我已经感到快乐实在太重要，但好像总没有太多事情能让我会心一笑，小波的书竟然做到了。从此，我迷上了王小波，不仅自己看，还一个劲儿地推荐给朋友们看。其中有一个人，当时在电台混着，在我推荐以后直接拿走了我家里的两本，至今未还。好在，该君如今已经混成了我省著名的电视节目主持人，我武断地认为多少和这两本书有某种关系，这样一想，小波的书起了作用，还挺欣慰，就送给他算了吧。

之后突然有天得知，小波去世了，才 45 岁，心里有种说不出来的滋味。一想到以后再也看不到那么睿智、幽默、精彩的文字了，遗憾得心疼。于是以后只要在书店看到小波的新版杂文集子，都会不由自主地买下来，哪怕其中内容有些重复。也许是因为他不在了，而我又忍不住常想起他那些既讲道理又好玩的话。到目前为止，也只有小波的文章我会反复看，而且还是会会心地笑。通过读小波的书，我开始相信，读书使人内心充实，给人带来快乐，也相信读书可以只作为一种生活方式存在就已经很合理了，还相信"智慧本身就是好的。有一天我们都会死去，追求智慧的道路还会有人在走着。死掉以后的事我看不到，但在我活着的时候，想到这件事，心里就很高兴"。还有，参差多态乃是幸福本源，因为从小波书里看来的罗素的这句话，我觉得和小波精神上有了呼应，因为我们共同喜欢的这句话，我眼前这个原本无趣的世界常可以跳跃出几颗有趣的参差火星，而这些参差的星星之火开始在我心里燎原，我也真正地、用心地开始阅读更多的文学作品，看更多人文科学的书籍。这些"无不有助于形成我的信念，构造我的价值观"。

14年了，我可以负责任地说，因为遇见小波（这件事情本身就很美好），我的生活有了很大的改变。变得乐观（我们生在比小波要好些的时代，更没有理由不乐观），豁达，理性，兴趣广泛，能够主动去发现这世界美好的东西。虽然周遭的气氛似乎没有越来越好，但我内心无比充实。因为小波，我已经成了个彻头彻尾的参差之人，这种参差是自然的，美的，而很多人实在是太"正常"，因为这"正常"而少了幸福感。

感谢小波，我会将参差进行到底。

今年的4月11日是王小波离世15周年，借这本书的机会，在这里强行把我整理出来的小波语录塞进来，是因为我觉得万一你要是不认识小波，那实在是可惜了，相信你也会和我一样，喜欢上他的。

咖啡馆墙上的王小波语录

小波语录：

（1）一个人只有今生今世是不够的，他还应当有诗意的世界。

（2）对一位知识分子来说，成为思维的精英，比成为道德精英更为重要。

（3）我认为低智、偏执、思想贫乏是最大的邪恶。当然我不想把这个标准推荐给别人，但我认为，聪明、达观、多知的人，比之别样的人更堪信任。

（4）智慧本身就是好的。有一天我们都会死去，追求智慧的道路还会有人在走着。死掉以后的事我看不到，但在我活着的时候，想到这件事，心里就很高兴。

（5）今天我想，我应该爱别人，不然我就毁了。

（6）我呀，坚信每一个人看到的世界都不该是眼前的世界。眼前的世界无非是些吃喝拉撒睡，难道这就够了吗？还有，我看见有人在制造一些污辱人们智慧的粗糙的东西就愤怒，看见人们在鼓吹动物性的狂欢就要发狂。

（7）肉麻的东西无论如何也不应该被赞美了。人们没有一点深沉的智慧无论如何也不成了。

（8）正常的性心理是把性当做生活中一件重要的事，但不是全部。

（9）爱到深处这么美好。真不想任何人来管我们。谁也管不着，和谁都无关。告诉你，一想到你，我这张丑脸上就泛起微笑……

（10）我觉得爱情里有无限多的喜悦，它使人在生命的道路上步伐坚定。

（11）假如这世上没有有趣的事我情愿不活。有趣是一个开放的空间，一直伸往未知的领域。无趣是个封闭的空间，其中的一切我们全都耳熟能详。

（12）我不要孤独，孤独是丑的，令人作呕的，灰色的。

（13）我活在世上，无非想要明白些道理，遇见些有趣的事。倘能如我所愿，我的一生就算成功。

（14）然后我又猛省到自己也属于古往今来最大的一个弱势群体，就是沉默的大多数。这些人保持沉默的原因多种多样，有些人没能力，或者没有机会说话；还有一些人，因为种种原因，对于话语的世界有某种厌恶之情。

（15）一个人倘若需要从思想中得到快乐，那么他的第一个欲望就是学习。

（16）我自己当然希望变得更善良，但这种善良应该是我变得更聪明造成的，而不是相反。

（17）假设善恶是可以判断的，那么明辨是非的前提就是发展智力，增广见识。

（18）人活在世上，自会形成信念。对我本人来说，学习自然科学，阅读文学作品，看人文科学的书籍，乃至旅行、恋爱，无不有助于形成我的信念，构造我的价值观。

（19）不断地学习和追求，这可是人生在世最有趣的事啊，要把这件趣事从生活中去掉，倒不如把我给阉了。

（20）假设我们说话要守信义，办事情要有始有终，健全的理性实在是必不可少。

（21）身为一个中国人，最大的痛苦是忍受别人"推己及人"的次数，比世界上任何地方的人都要多。

（22）我认为，把智慧的范围限定在某个小圈子里，换言之，限定在一时、一地、一些人、一种文化传统这样一种界限之内是不对的；因为假如智慧是为了产生，生产或发现现在没有的东西，那么前述的界限就不应当存在。

（23）人和人是不平等的，其中最重要的，是人与人有知识的差异。

（24）人该是自己生活的主宰，不是别人手里的行货。

（25）不但对权势的爱好可以使人误入歧途，服从权势的欲望也可以使人误入歧途。

（26）蛊惑宣传虽是少数狂热分子的事业，但它能够得逞，却是因为正派人士的宽容。

（27）假如人生活在一种无力改变的痛苦之中，就会转而爱上这种痛苦，把它视为一种快乐，以便使自己好过一些。

（28）我们的社会里，必须有改变物质生活的原动力，这样才能把未来的命脉握在自己的手里。

（29）个人的体面与尊严，平等，自由等等概念，中国的传统文化里是没有的。

（30）古往今来的中国人总在权势面前屈膝，毁掉了自己的尊严，也毁掉了自己的聪明才智。

（31）不管社会怎样，个人要为自己的行为负责。

（32）人活在世界上，需要这样的经历：做成了一件事，又做成了一件事，逐渐地对自己要做的事有了把握。

（33）人经不起恭维。越是天真、朴实的人，听到一种于己有利的说法，证明自己身上有种种优越的素质，是人类中最优越的部分，就越会不知东西南北，撒起癔症来。我猜越是生活了无趣味又看不到希望的人，就越会竖起耳朵来听这种于己有利的说法。

（34）我去起圈时，猪老诧异地看着我。假如它会说话，肯定要问问我：抽什么疯呢？有时我也觉得不好意思，就揍它。被猪看成笨蛋，这是不能忍受的。

（35）我以为，一个人在胸中抹杀可信和不可信的界限，多是因为生活中巨大的压力。走投无路的人就容易迷信，而且是什么都信。虽然原因让人同情，但放弃理性总是软弱的行径。

（36）知识分子的道德准则应以诚信为根本。

（37）科学的美好，还在于它是种自由的事业。参与自由的事业，像做自由的人一样，令人神往。

（38）科学是个不断学习的过程。

（39）无论是个人，还是民族，做聪明人才有前途，当笨蛋肯定是要倒霉。

（40）一个女孩子来到人世间，应该像男孩子一样，有权利寻求她所要的一切。假如她所得到的正是她所要的，那就是最好的。

（41）学习科学知识目的在于"知新"，有科学知识的人可以预见将来，他生活在从现在到广阔无垠的未来。假如你什么都不学习，那就只能生活在现实现世的一个小圈子里，狭窄得很。

（42）所谓伟大的事业，就是要让自己的梦想成真。

（43）梦想虽不见得都是伟大事业的起点，但每种伟大的事业必定源于一种梦想——我对这件事很有把握。

（44）伟大一族不是空想家，不是只会从众起哄的狂热分子，更不是连事情还没弄清就热血沸腾的青年。他们相信，任何美好的梦想都有可能成真——换言之，不能成真的梦想本身就是不美好的。

（45）真正有出息的人是对名人感兴趣的东西感兴趣，并且在那上面做出成就，而不是仅仅对名人感兴趣。

（46）处于不同文化中的人可以互相了解，这就需要对各种文化给予不带偏见的完整说法。

（47）没有钱，没有社会地位，没有文化，人很难掌握自己的命运。

（48）善良要建立在真实的基础上，所以让我去选择道德根基，我愿选实事求是。

（49）诚然，作为一个人，要负道义的责任，憋不住就得说，这就是我写杂文的动机。

（50）人有才能还不叫艺术家，知道珍视自己的才能才叫艺术家呢。

（51）我们的生活有这么多的障碍，真他妈的有意思，这种逻辑就叫做黑色幽默。

（52）所谓智慧，我指的是一种进行理性思维时的快乐。

（53）人生唯一的不幸就是自己的无能。

（54）要努力去做事，拼命地想问题，这才是自己的救星。

（55）所谓文学，在我看来就是：先把文章写好看了再说，别的就管他妈的。

（56）我赞成对生活空间加以压缩，只要不压到我；但压来压去，结果却出乎我的想象。

（57）青年的动人之处，就在于勇气和他们的远大前程。

（58）尊严不但指人受到尊重，它还是人价值之所在。

（59）很不幸的是，任何一种负面的生活都能产生很多乱七八糟的细节，使它变得蛮有趣的；人就在这种有趣中沉沦下去，从根本上忘记了这种生活需要改进。

（60）一味的勇猛精进，不见得就有造就；相反，在平淡中冷静思索，倒

就想开间小小咖啡馆

更能解决问题。

（61）总而言之，干什么都是好的，但要干出个样子来，这才是人的价值和尊严所在。人在工作时，不单要用到手、腿和腰，还要用脑子和自己的心胸。

（62）不管我本人多么平庸，我总觉得对你的爱很美！

（63）哲学就是聪明学，我以为并不过分。若以为哲学里种种结论可以搬到生活里使用，恐怕就不尽然。

（64）事实说明了一个真理：别人的痛苦才是你艺术的源泉；而你去受苦，只会成为别人的艺术源泉。

（65）人有无尊严，有一个简单的判据，是看他被当做一个人还是一个东西来对待。这件事情有点两重性，其一是别人把你当做人还是东西，是你尊严之所在；其二是你把自己看成人还是东西，也是你的尊严所在。中华礼仪之邦，一切尊严，都从整体和人与人的关系上定义，就是没有个人的位置。

（66）罗素说："须知参差多态，乃是幸福的本源。"大多数的参差多态都是敏于思索的人创造出来的。

（67）我始终盼着陈清扬来看我，但陈清扬始终没有来。她来的时候，我没有盼着她来。

（68）在生活的其他方面，某种程度的单调、机械是必须忍受的，但是思想绝不能包括在内。胡思乱想并不有趣，有趣是有道理而且新奇。在我们生活的这个世界上，最大的不幸就是有些人完全拒绝新奇。

（69）知识虽然可以带来幸福，但假如把它压缩成药丸子灌下去，就丧失了乐趣。

（70）假如有某君思想高尚，我是十分敬佩的；可是如果你因此想把我的脑子挖出来扔掉，换上他的，我绝不肯，除非你能够证明我罪大恶极，死有余辜。人既然活着，就有权保证他思想的连续性，到死方休。更何况那些高尚和低下完全是以他们自己的立场来度量的，假如我全盘接受，无异于请那些善良的思想母鸡到我脑子里下蛋，而我总不肯相信，自己的脖子上方，原来长了一座鸡窝。

（71）在一切价值判断中，最坏的一种是：想得太多、太深奥、超过了某些人的理解程度是一种罪恶。

（72）有些人认为，人应该充满境界高尚的思想，去掉格调低下的思想。这种说法听上去美妙，却使我感到莫大的恐慌。因为高尚的思想和低下的思想的总和就是我自己；倘若去掉一部分，我是谁就成了问题。

（73）吃苦、牺牲，我认为它是负面的事件。吃苦必须有收益，牺牲必须有代价，这些都属一加一等于二的范畴。

（74）没有智慧、性爱而且没意思的生活不足取，但有些人却认为这样的生活就是一切。他们还说，假如有什么需要热爱，那就是这种生活里面的规矩。这种生活态度，简直是怪癖。

（75）每一本书都应该有趣。对于一些书来说，有趣是它存在的理由；对于另一些书来说，有趣是它应达到的标准。

（76）假如一个社会的宗旨就是反对有趣，那它比寒冰地狱又有不如。

（77）人的一切痛苦，本质上都是对自己的无能的愤怒。

（78）这辈子我干什么都可以，就是不能做一个一无所能，就能明辨是非的人。

（79）这个世界自始至终只有两种人：一种是像我这样的人，一种是不像我这样的人。

（80）照他看来，写书应该能教育人民，提升人的灵魂。这真是金玉良言。但是在这世界上的一切人之中，我最希望予以提升的一个，就是我自己。这话很卑鄙，很自私，也很诚实。

（81）并不是说只有达到了目的才叫幸福，自己的着力才有价值，而是说因为有了这样一种希求，自己的着力才感到幸福

（82）世界上有些事就是为了让你干了以后后悔而设，所以你不管干了什么事，都不要后悔。

（83）知识分子的最大罪恶是建造关押自己的思想监狱。

（84）东西方精神的最大区别在于西方人沉迷于物欲，而东方人精于人与人的关系。

（85）真正的幸福就是让人在社会的法理、公德约束下，自觉自愿地去生活；需要什么，就去争取什么；需要满足之后，就让大家都得会儿消停。

（86）我看到一个无智的世界，但是智慧在混沌中存在；我看到一个无性的世界，但是性爱在混沌中存在；我看到一个无趣的世界，可是有趣在混沌中存在。我要做的就是把这些讲出来。

（87）我认为理智是伦理的第一准则，理由是：它是一切知识分子的生命线。

（88）我总以为，有过雨果的博爱，萧伯纳的智慧，罗曼·罗兰又把什么是美说得那么清楚，人无论如何也不该再是愚昧的了。

（89·）生活就是皮下注射。

（90）公路上常能看到扁平如煎饼的物体，它们曾经是青蛙。它们之所以会被车轮轧到如此之扁，都是因为视觉上的缺陷……倘若生活中存在着完全不能解释的事，那很可能是因为有我们所不知道的事实；而真正的原因却是我们并不真正想知道。

（91）吃饱了比饿着好，健康比有病好，站在粪桶外比跳进去好，太平岁月比乱世好，看见满大街都是漂亮的异性人就振奋。

（92）媚雅这事是有的，而且对俗人来说，有更大的害处。

（93）在这些人身上，你就看不到水往低处流、苹果掉下地、狼把兔子吃掉这一宏大的过程，看到的现象相当于水往山上流、苹果飞上天、兔子吃掉狼……如果大家都顺着一个自然的方向往下溜，最后准会在个低洼的地方会齐，挤在一起像粪缸里的蛆。

（94）人不爱自己的家就无以为人，而家可不只是房门里那一点地方。

（95）人活在世界上有两大义务，一是好好做人，二是不能惯别人的臭毛病。

（96）人活在世上，不但有身体，还有头脑和心胸——对此请勿从解剖学上理解……心胸是我在生活中想要达到的最低目标。某件事有悖于我的心胸，我就认为它不值得一做；某个人有悖于我的心胸，我就认为他不值得一交；某种生活有悖于我的心胸，我就会认为它不值得一过。

（97）与说话相比，思想更加辽阔饱满。

（98）人生是一条寂寞的路，要找一本有趣的书来消磨旅途。

（99）我要爱，要生活，要把眼前的一世当做一百世一样。

（100）任何不能令人满意的东西，不值得我们屈尊。

光阴的故事（咖啡版）

　　很喜欢一首英文歌"Lazy Afternoon"，翻译成中文可以叫"慵懒的下午"。初学英文的人如果直译过来就是"懒的下午"或者"懒洋洋的下午"。听过这首歌的人就知道这样简单的直译肯定是错了。懒字在中文里一直不太光彩，可是变成慵懒之后突然就变得让人羡慕了，那种舒坦、满足、悠闲、惬意的样子跃然纸上。

　　在咱们这个人口众多的发展中国家，提高"生活质量"比较一目了然而且好操作的办法是忙碌，慵懒这个词几乎就只能用来翻译这首英文歌名或者用来形容那些老牌资本主义国家先富起来的幸运儿了。我喜欢这首歌自然也是因为羡慕这样的状态，觉得离自己很远。没有想到的是，3年前，就在我忙得四脚朝天、心力交瘁的时候，我竟然发现慵懒就在离我家不远的一个20平方米的小咖啡馆里弥漫。这个地方甚至连一个咖啡馆都谈不上，名叫西北湖咖啡豆专卖店，可以说

武汉随便一个叫咖啡馆的地方都比它更像咖啡馆。而且一问才知道，我们这位来自台湾的慵懒的主人何先生，来到武汉守着这个有点寒酸的小店已经 4 年了。他每天不仅下午慵懒，上午也慵懒，更让我受刺激的是，这位老兄就这样"虚度光阴"3 年多，生意也没见什么起色，你竟然看不出他着急。如果中午来喝咖啡，一定见不到他，他肯定在洗手间旁边的小角落，午睡！晚上人家的店都熬呀熬希望多做点生意，可他倒好，晚上 9 点要请客人离开，准时打烊。一度，我曾经发挥儿时的想象力，认为何先生乃台湾间谍的可能性极高，他凭什么守着个不太可能赚钱的破店不着急啊！组织提供经费？

后来去多了，慢慢侦查到一些准确的信息。2001 年，何先生因为祖籍武汉的缘故来到武汉。按他的说法，他大概是最早从台湾到内地从事咖啡豆烘焙，出售新鲜咖啡豆，顺便让客人只花 10 块钱品尝现磨咖啡的前两三个台湾人之中的一个。他非常清楚，咖啡这东西，尤其是真正注重品质和咖啡精神，不一味追求环境的小咖啡馆，在内地推广是需要时间的。而且，根深才能叶茂，明知道要守，何不轻轻松松地守，焦虑于事无补的啊。

感谢上帝，如来，观世音菩萨，还好我还有那么点悟性，认识了慵懒的何先生之后，我一下子顿悟了。他店里墙上贴了一句话："一个人之所以幸福，不是因为他拥有的多，而是因为他要求的少。"这样的道理不仅仅是写在墙上让人点头称是的，道理只有你选择之后才是道理。其实想拥有一个慵懒的下午，容易！只要你选！

从此以后，我成了这里的常客，一本书，一杯咖啡，一个下午，我开始变得越来越懒。在随后的两年里，这个小而温馨的咖啡馆里，

客人越来越多，常常人满为患，这里成了偶尔偷懒的好去处。更有一些像我这样想长期慵懒下去的人纷纷从这里走出去，学着开了自己的咖啡馆。虽然没有统计和细致的调查，但几乎可以肯定，武汉最近两年涌现出来的几十、上百家小咖啡馆，绝大多数都受了何先生的影响。他用了 7 年，也就是 2600 多天的悠闲生活，漫不经心地给我们讲述了一个关于咖啡生活的光阴的故事。他来自台湾，可能不知道内地动不动就脱口而出的"坚持就是胜利"这一类透着无奈和悲壮的口号式语言，他只知道他喜欢咖啡，也喜欢有人分享他的咖啡。他不是在坚持，而是在享受；他每天都很舒坦、满足；他要求的不多，不要什么胜利，只要一种自己认可的生活。但就是这样，他漫不经心地改变着武汉。以我四处出差旅行的观察，毫不夸张地说，真正的小咖啡馆氛围，武汉在全国大城市里一定是走在前面的。慵懒在越来越多的地方弥漫，这一切，有咱们这位来自台湾的武汉人——何先生的功劳！

小的是美好的

"小的是美好的"，就这 6 个字已经让我觉得赏心悦目了，只可惜它们不是我的原创。1973 年，一个有先见之明的美籍德裔经济学家舒马赫出了一本当时反潮流的书，书名就叫《Small Is Beautiful》，中译《小的是美好的》，当时在西方轰动一时。我看完之后，很有点激动，觉得对 40 年后的中国也极具现实意义。

作者认为，资源密集型的大型化生产导致非人性的工作环境，经济效益降低，贫国与富国的差距拉大，资源枯竭和环境污染。人们应当超越对"大"的盲目追求，提倡小型机构、适当规模、中间技术，等等。作者提出的"中间技术"理论，尤其值得推崇。所谓中间技术，有利于"创造工作机会"这一首要目标的实现；有效地利用本地资源；能增加劳动的愉悦，而不是把人变成技术的奴隶；经过适当培训，人人可以运用。正如甘地所说，大量生产帮助不了世界上的穷人，只有大众生产才能帮助他们。大众生产的技术正是这样一种"中间技术"。

真好，虽然我们生活的世界，问题总是层出不穷，但每当看到这些明白人充满智慧的话，还是喜欢点上一支烟，深吸一口，让浑身舒坦一下。好了，言归正传，借这个美好的标题，断不敢讨论深奥的经济学问题，倒是想"系统"地为参差咖啡馆为什么每一个都很小来狡辩一番。

2007 年一口气开了 3 间参差咖啡，都很小（要是开 3 间大的，估计我已经累死了）。位于北京魏公村的参差咖啡面积 35 平方米（很袖珍），还带个洗手间；武汉水果湖的参差咖啡面积 70 平方米（觉得正合适）；汉口新世界国贸大厦背后的最大，约 100 平方米。可是，好心的朋友们第一次推门走进最大的这间咖啡馆的时候，大多都面露惊讶，这么小！而我每次心里都在嘟囔，我还嫌大了呢。我知道朋友们的言下之意是，这么点儿地方，能坐几个人？每天撑死能卖出几杯咖啡呀？赚个鸟钱啊。我知道大家都是好意，既然是好意，当然不便争论，不过我心里还会继续嘟囔，小的是美好的！尤其是咖啡馆！尤其是中国的咖啡馆！

咖啡馆不像餐厅，民以食为天，只要食物好吃有特色，有可能做到众口能调，大一点没什么问题。而咖啡馆的特点是主要靠氛围取胜，有很重的客群细分倾向。至少，到目前为止，仍然很少听说有人为了某种特殊味道的咖啡而非去某个咖啡馆不可，但是因为各种因人而异的原因，钟情于某个咖啡馆的故事倒是很多。只是这样的聚集方式，通常只会形成一些小群体。小群体，小咖啡馆，小氛围，相得益彰。

去过几次巴黎，朝圣一样地去了好多次左岸。传说中的巴黎左岸，各式各样，各具特色的小咖啡馆林立，不同的人群聚集到不同的咖啡馆，哪怕是游客也有很多是做好功课直奔自己心仪已久的某某咖啡馆。很难想象，如果巴黎左岸只有那么几个超大的，动则数千平方米的巨型豪华大咖啡馆杵在那儿，我看谁还好意思总拿左岸说事儿。很明显，在中国，人们对咖啡的需求大多还没有达到生理需求的程度，多数还停留在心理需求的层面上。既如此，满足心理需求和一个大大的空间显然有些不沾边。人应该是参差多态的，也同时是具有社会性的，所以，每个人在保持个性、人格、思考等独立的同时，需要一个能和社会做心灵交汇的地方，这个地方可能办公室、教室、饭馆都不太合适，这样一个心有所属的地方，咖啡馆看起来是最适合的，而且是小小的咖啡馆。比如，每一间参差咖啡的吧台都正对着门，客人随时进来都不会被忽视。一声及时的欢迎光临，哪怕是一个微笑对视，都会让客人迅速消除陌生感。在这个小小的空间，你可以自然安静地独处，不必担心有服务员在远处"关切地注视"；只要你愿意，你也可以成为这里的"主人"。在小小的咖啡馆里，即使独处也不会被忽视和遗忘，只要你愿意，你随时都能找到倾听者和交流者，比如和老板聊聊天，其实，老板可能早就等着你呢。于是，这样一个小小的空间很快就可能变成了一个公共客厅。

当然，一个小小的咖啡馆想赚大钱的确有点难，如果你不怕累，那就多开几个好了。但是，千万别以为盈利的多少和咖啡馆的大小是成正比的！尤其别去开那种弥漫着煲仔饭味儿的伪而大的咖啡馆！你见过不喝咖啡的老外吗？巴黎咖啡人口是咱们这儿的N倍，人家怎么没人弄出几个超级咖啡Mall或者Plaza什么的呢？足以见得，咖啡馆注定应该是小的。

接下来，我也来个经济学方式的狡辩吧：在中国，咖啡不是每个人的必需品，喝咖啡的人群还在培养，我们不能奢望咖啡馆总是位子不够坐。所以，咖啡馆越小，氛围越好营造；当然，最重要的是，咖啡馆越小，租金就越低，人工水电等开支当然也越少，这样一来最大的好处是，经营压力就小了，压力一小，心情自然就轻松。要么不请人，自己雇自己；最多一两个员工，也摆不起老板架子，没客人的时候，就自得其乐地东弄弄西弄弄，把咖啡馆弄得越来越有情调。客人来了，自然是心平气和，笑容十分自然。而那些伪而大的咖啡馆，一旦客人稀稀拉拉，服务员比客人还多；一旦连续几天连水电人工都保不住，老板迎客的笑容是绝对挤不出来的。

黑白双傻

友情提示：5分钟之后，你会发现，上当了！

话说《水浒传》里有一对黑白双煞，一个浑身雪一样的白肉，水底可伏7天7夜，穿梭水面快速无比，就像一根白条一闪而过，人称"浪里白条"张顺，是梁山中水性最好的，和著名的黑旋风李逵并称"黑白水陆双煞"。

放心，我不会学人家恶搞，搞八竿子打不着的古人，我只想借二老的名声，隆重推出两个武汉的傻帽。这里说的黑和白也不是指肉黑肉白，而是说这两个傻帽，一个白天犯傻，称为白傻；一个天黑了犯傻，可以称为黑傻。犯傻地点位于新世界背后的一个小酒吧。黑傻为该酒吧老板。本人就是那个白傻，前不久刚刚掺和进来利用酒吧白天的空闲时间做起了咖啡馆，于是就有了"黑白双傻"组合。

首先我自称白傻是有充足理由的。比如，通货很膨胀，什么都在涨价，我却高喊 10 元咖啡万岁，参差咖啡，10 块一杯就是好来，就是好。可别人咖啡都卖二十几块啊！想不想赚钱啊？俺跟人民的币有仇？本来只是个卖咖啡的，却花了几万元坚挺的人民币进了一大堆书摆得咖啡馆到处都是。要是畅销的经管励志书还好说，能卖能赚钱嘛，我选的偏偏是些扯淡的乱七八糟的闲书，奢望着忙碌的客人偶尔能抱本闲书静下来。一旦终于有人不小心瞟了一眼这些书，我竟然产生了逢知己的幻觉，激动得嘴唇都有些颤抖。你说，这不是傻是什么？

作践自己说自己傻，别人当然管不着。但把小酒吧的李老板也捎带进去了，多少有点不厚道。但我只要描述几个场景，你自然会同意我的叫法了。客人问：你这是个清吧还是个什么吧？李老板答：爵士吧。客人：有点答非所问，爵士是老美听的，想强加给我们，没门儿！你就唱个"加州旅馆"来听听吧，我还可以勉强忍受，唱吧！李老板当然得拿顾客当上帝，哪怕是多年来唱了千次万次，把"加州旅馆"都快唱垮了也得硬着头皮唱，只不过间奏的时候，他又趁客人不注意，偷偷地使劲儿爵士 solo 一大圈才回到"旅馆"，弄得自己满头大汗，还偷着乐。还有，就在昨天，大周末的，生意不温不火，我们的李老板反而乐呵呵地说，这样好，这样好，这样还就像个音乐酒吧了，来！咱们自己喝。你看看，我没说错吧，他也跟人民的币有仇！就是黑傻！

如今社会进步得快，人越来越聪明，出现这样的傻帽实为难得，也算是武汉的景观，所以欢迎参观，咱们免收门票。

"哇噻！是个广告！"觉得上当了吧。我知道这样变相广告不好，但还是顶一句小嘴：想想那个什么"羊羊羊，殃殃殃，痒痒痒"，我这广告已经有进步了，知足吧，哈哈哈哈。

书与咖啡

　　记得当初筹备武汉第一间参差咖啡馆的时候，一想到可以肆无忌惮地大量买书放在咖啡馆里，就很兴奋，其程度甚至超过了每天可以自己煮咖啡，喝咖啡，让咖啡馆弥漫着咖啡香。在我心里，书香一样宜人。记得很多年前，我曾经被老妈骂过"五毒俱全"，雪茄、香烟、啤酒、威士忌、咖啡样样都来，在她看来这些都是恶习，很不理解也很心疼。可我认为这些所谓恶习都能让我心情大好，即便于身体有些小碍，总比没有任何嗜好，身心寡淡来得好。事实证明，心情郁闷而不会排解比这些所谓恶习更能致病。这个道理老人家是没有办法理解和认同的，为了安慰她我并非不可救药，我会提示她注意我其实还有一个很不错的习惯，那就是买书。其实老妈估计也不太理解，甚至都不一定认为十几年坚持不断地买书算得上是好习惯，因为和上面说的五毒一样费钱。要是她还在世，看到我本来已经一屋子书了，还要为咖啡馆再买几万块的书，一定又要皱眉头了。

　　想开咖啡馆有很多年了，一直没敢行动。如今胆敢真的开咖啡馆，是因为发现自己现在的状态基本合格了，那就是这一两年，我常常可以拿一本书到人家的咖啡馆里一坐一下午，人家咖啡馆不太重视背景音乐，我还特意带着电脑硬盘去给人家放音乐。既然可以坐别人的咖啡馆，在自己的咖啡馆里，没有客人的时候，就听音乐看书！看书和开咖啡馆就这样扯到了一起。在我看来，耐得住寂寞是开咖啡馆必须具备的基本素质。愿不愿意用看书来"打发"时间又是能否耐得住寂寞的重要前提。这样"打发"时间我是愿意的，甚至没有书的话，我都不知道我这咖啡馆该怎么开。

　　咖啡馆已经有些日子了，来的客人很多都愿意翻翻我精心为自己挑选的书（我相信主观利己、客观利人是合理的；毫不利己、专门利人几乎可以肯定是有病，所以我勇于承认咖啡馆里的书首先是为自己挑的，要知道客人是想来就来，我得天天待在这里，不为自己挑点好书，怎么对得起自己呢）。已经不记得从什么时候开始，有时候连续，有时候隔那么一两天，一抬头就会发现一个女孩子静静地在靠窗的位置，一杯咖啡，一本书。看着这样的风景，好几次都有走过去握手并

免单的冲动。因为她给我的欣慰感和好东西被分享的幸福感岂止一杯
咖啡钱。

时间一长，我发现，咖啡和书有一个共同特征，这两种东西都谈
不上是必需品，来享用它们的人，据我观察，多是对生活品质有些追
求的。他们看书的时候，脸上的宁静很美。咖啡和书一样，享用它是
需要时间的。愿意把时间花在这样的"非必需品"上，敢于在这些美
好的东西上浪费时间，把读书和喝咖啡当成一种生活方式的时候，我
们才真正摆脱了焦虑地"活着"的尴尬境地。看来我可以跟老妈这样
拌一句嘴："没有恶习就没有生活，您放心吧，我很快乐，因为我有
书和咖啡"。

千万别说"我很忙"

　　首先申明，这个建议不是给职业女性的。在这个女大学生流行毕业（甚至还没毕业）不找工作先找老公的年代，我倒希望女人忙一点。直指要害地说，女人忙，说明在朝着经济独立的方向奔，而女人大面积经济独立，这个世界会更美好，也就是对女人好，对男人也好。

　　再者申明，这个建议对男人有时候跟特定对象撒谎也不适用，比如已经审美疲劳的糟糠，纠缠不休的情人，老赢你钱的牌友，"我很忙"只是个随手拈来的借口。我可没有本事帮你找别的借口，你爱怎么编就怎么编。

　　也就是说"我很忙"作为逃避某人的挡箭牌，不在我们今天讨论的范畴。我今天是想劝大家别自我介绍的时候老带出"我很忙"，尤其是不能一脸无奈，但一听就是在夸耀。为什么？时代不一样了，要是 20 年前这么说，人家一定会羡慕，说明你正勤劳致富呢，很多人想忙都没机会呢。要是 30 年前这么说，人家可能会很尊敬你，因为大家都在大锅里混食，报国无门呢。那现在千万别说"我很忙"又是为什么呢？理由有四：

第一，如果你还在勤劳致富，大家都一样，不像 20 年前那样值得炫耀了，不值得一说。

第二，如果你已经致富成功，还忙着想暴富，说明你有点贪，不懂知足常乐，没什么不好，但好像也不太可取。

第三，如果你是高级打工仔，做的是管理，总号称自己忙，多少折射出你很多事情搞不定，管理水平受到怀疑。

第四，如果你是初级打工仔，忙也是你的本分，现在不忙难道想老来再忙？

说来奇怪，也不知道为什么我不喜欢听人说自己忙，可能骨子里喜欢宁静从容的状态，据说美的东西都是在这样的状态中存在的。常听到一些套话："经济发展，人民生活水平越来越高"，可我怎么就感觉不到呢？身边的人个个都很忙很辛苦啊！所以前面编的几个千万别说"我很忙"的理由其实很牵强，真正想说的是："慢一点，慢慢

来"，"生活水平的提高，不是人越来越忙，钱越来越多，而是心越来越静"！

最后的结论其实是：

很忙很无能，

很闲很能干；

很忙很愚笨，

很闲很智慧；

很忙但是很空虚，

很闲可以很充实。

靠谱的咖啡馆邂逅

参差咖啡进驻新世界国贸大厦就快 100 天了。这栋高楼是武汉标志性的高级写字楼，牛公司多，精英云集。开业以来生意还不错，来过的客人都很喜欢，很多人说这里像家，我觉得这是对一个咖啡馆最高的评价了，有点小小得意。而且我对现在"不在咖啡馆，就在去咖啡馆的路上"的日子挺满意的。更重要的是，咖啡馆开在写字楼里和在街面上比最大的好处是周日不用开门营业，因为楼里的公司都休息，而我这小老板也可以响应上帝的号召休息一天，"六日要劳碌做你一切的工，但第七日是向耶和华你神当守的安息日；这一日你和你的儿女、仆婢、牲畜，并你城里寄居的客旅，无论何工都不可做；因为六日之内，耶和华造天、地、海，和其中的万物，第七日便安息；所以耶和华赐福与安息日，定为圣日——《十戒》"。

当然，高档写字楼里开咖啡馆还有一个好处就是，来的客人普遍

素质很高，大家同处一楼就是邻居，客人来了就像招待朋友，轻松愉快。身心愉悦之余，闲来无事，免不了想为我的客人们多做点什么。比如，今天和客人聊天，聊到"剩女"现象，我忽然意识到，我这个咖啡馆不是正处在"剩女"高度密集区吗？也许，我能做点什么。所谓"剩女"就是高学历、高收入、高年龄的一群在婚姻上得不到理想归宿的大龄女青年。有人说，"剩女"不是被制造，而是"自造"；不是一个女人自己造，而是整个女性群体合力制造。没有男朋友，OK，我们可以去学瑜伽、普拉提，可以去学花道、茶道，想让我们闺阁幽怨思嫁心切？对不起，没空。万一上一秒嫁给"委曲求全"，转瞬就碰见了"真命天子"，又该怎么办？看来问题出在"剩女"对爱情的高标准，可这也没有错啊！不过，我倒是从里面发现点端倪，问题可能出在"场所"上。你想啊，办公室里只有上司和下属、同事，交际面实在太窄，将就吃窝边草有点委屈了三高的条件；生意社交场所吧，大家都假模假式的，跟戴了面具似的，且时间短促，难看清楚，不靠谱；娱乐场所，比方酒吧、迪厅，机会倒是不少，可惜这社会变化快，想要"一夜情"的多，危险，也不靠谱；最不靠谱的就算不管是谁组织的"鹊桥大会"了，名字起得再好听，其本质还是个市场，规模越大，看起来机会越多，其实越是荒唐，哪有从市场上领个人回家结婚的呀，到市场去只能买东西。最后，网络寻亲，比如那个很火的佳缘，看起来便利，不拘泥于场所，可在网络上只能是个个都跟高考评卷老师似的，按标准答案打钩打叉，结果肯定只能是打发下时间。找爱人又不是找标准答案，卷子得了高分，人可能很烂，应试教育出不了人才，这个理大家都清楚，所以还是不靠谱。

至此，作为咖啡馆馆主的我，劣根性已经昭然若揭了：我说了半天"场所"的重要性，最终是想说——"好的咖啡馆是剩女碰见真命天子的理想场所，尤其是我这间金融街上空的参差咖啡"。虽然是广告，但理由看起来还是合理的：其一，这楼里工作的男性好歹经过各大公司层层筛选，素质有基本保障；其二，有了这个基本保障，再常常走进咱参差咖啡馆，不论他是来谈事情还是纯粹喝杯咖啡休息一下，都至少说明其对生活品质有要求。有了这两点，算是配得上"剩女"的最基本条件了。接下来您得常来，对同样也常来的目标进行观察，这一点在一个只有60多平方米的小小参差咖啡馆里是很容易做到的。再接下来就是观察要点了，以下要点可能是我除咖啡以外能为"剩女"提供的最有价值的服务。

　　要点一：进门时东张西望，目光闪烁，则说明缺乏自信，排除；如果径直走向馆主礼貌寒暄，可继续观察。

　　要点二：是否大声喧哗旁若无人。是，肯定排除；偶尔忘形大声，但能意识到妨碍了别人并马上收敛，甚至对被干扰的人微笑示歉，可继续观察。

　　要点三：是否对服务人员大呼小叫，或者对一些小小服务瑕疵得理不饶人。是，则排除；反之，越是对服务人员小心尊重，礼貌有加，越值得继续观察。

　　要点四：是否吸烟。别忙，吸烟不是好习惯，但也不要急着排除，如果他每次都把烟蒂彻底捻灭，不让烟屁股在那儿自然燃烧，继续熏人，说明此人修养不错，仍可继续观察。

　　要点五：是否手机铃声设置得大声而没有品位，通话时言辞之中故意炫耀（比如对下属恶语相向），或者脏话连篇。是，排除；反之，铃声低调，不论何时通话都非常礼貌，可继续观察。

　　要点六：如果常看到他静静地独处，安静地阅读，如果再能瞟一眼他看的什么书，则更有助于帮助判断其心态和品位。

　　要点七：找老公可不是买东西，后悔了再退货就相当麻烦了，所

以要用心观察。亲自观察得越久，货不对版的可能性越低。这一点最像广告，是希望大家常来。

要点八：好老公不会从天上掉下来，一旦依照以上要点发现目标，就要有豁出去的勇气，主动出击。如何出击就不在本文内展开了，不过，如果你很自然地符合了上面所说的要点，我相信有慧眼的男人应该已经走过来和你搭讪了："看书呢，这本书我也很喜欢……"

给自己一点咖啡时间

"渴了累了喝红牛",广告在暗示红牛可以消除疲劳,这就是功能性饮料。这种不知道加了什么东西的来自泰国的饮料一直卖得不错,说明很多人的确总是觉得很累!"怕上火喝王老吉",也算是功能性饮料,也卖得很火,说明咱们也很容易上火。很累很上火背后其实藏着:身心疲惫!

"很多时候,想要倾诉,需要关怀,可是身边的人都不会给。大家太过于专注自己的世界,于是渐行渐远。"这是参差咖啡日记里面一位同事的一段话,看来又伤了一位。想安慰一下,很自然又想到了咖啡。我想说咖啡正是这样一种能够疗伤的功能饮料。

本来我一直是个非神秘主义者,以为咖啡能迅速风靡全球就是因为咖啡因,没别的,属于身体需要。直到有一天我对咖啡有了心瘾之后,终于明白咖啡还和生活态度有关,心灵也需要。以前总喜欢说酒是人类最伟大的发明之一，很享受微醺半醉的感觉。自从爱上醇香的咖啡之后，我一下子找到了二者的区别：酒精通常和激情、倾诉、性、昏睡纠缠在一起，它可以让人兴奋，但没有回味；而咖啡很自然地和沉静、思考、阅读融合，有种恬静让人享受且回味。因此，我把咖啡归为功能性饮料，能作用于心灵，用咖啡时光呵护心灵再适合不过了。"大家太过于专注自己的世界，于是渐行渐远"，说这样的话显得哀怨和无助，其实没有必要。朋友更重要的作用是来分享快乐的，如果我们自己总是郁郁寡欢，很难想象周围会有一群执著的只想为你分担忧愁的朋友。我们每个人最忠实的朋友永远首先是自己，让自己充实和饱满，进而享受属于自己的宁静是拥有幸福感的基础，这个时候朋友的关注、关怀会有锦上添花的美丽，反之则会无济于事或者至少难以持久。人生来脆弱，不受伤不可能，我们能做的就是学会不时给自己一些独处的时间，用读书，用思考，用咖啡浇灌心灵，用内心丰富使伤口自愈。有这样的好习惯，受伤的机会也会越来越少。

　　这样写东西自己其实不习惯，有点矫情。不过爱上咖啡以后，看书多了，心静了。不管书是咖啡时间的道具，还是咖啡是读书的道具，反正这两件事情一起让我觉得很舒服。再来句广告词："又渴又累又上火，喝参差咖啡！"意思很明白，我们需要一点咖啡时间！

2012 快点来吧！

寒冬腊月，逃离拥挤寒冷的武汉，飞到三亚，躺在亚龙湾的沙滩上，沐浴着温暖的阳光，清新的海风拂面，舒坦得一塌糊涂。因为答应了这篇稿子，所以，躺在这儿应邀思考一下关于人类可能即将毁灭的问题，如此反差，是不是有点滑稽？不过话说回来，正因为这种反差，此情此景，此时此刻的思考其实更具深刻的意义：如果我现在饥寒交迫，心烦意乱，我一定有足够的勇气，轻而易举地大叫，2012 快点来吧，死了算了！虽然那多半是恶劣情绪的爆发，并不真的想死和不怕死。

不过，令我自己也很意外的是，此刻，四仰八叉，舒服得不行的我，闭上眼睛，回想一番《2012》电影的场面，思考了一轮下来，竟然镇定自若地从心里冒出了同样的想法：2012 快点来吧！

为！什！么！我是这样想的：

首先，人类绝对是一种不见棺材不掉泪，甚至见了棺材都不流泪的不清白的动物。这一点听着不太顺耳，但是，人类自己已经反复自行证明了这一点，没资格反驳。印度的甘地说过，地球绝对能够满足所有人类的基本需求，但绝对满足不了人类的贪欲。是啊，本来像 2012 这样头痛的问题应该是我儿子的儿子的儿子的儿子去操心的问题，怎么会轮到我在这儿担忧呢，原因很简单，甘地说得没错。而且，人类因为其贪欲不断被满足，变得越来越自大，毫无疑问这一越来越自大的过程就是在不断证明人类的渺小！既然人类都是渺小的，我这点担忧就显得更加渺小和无意义了。何况我此时温暖舒服，四仰八叉，来就来吧。如果此时毁灭之波从地球某个点向外扩散，我动都懒得动，至少死姿从容。

这么说，虽然是我此时此刻的真实想法，但毕竟有些不厚道，也不严肃。如何面对死亡是个大而严肃的命题，趁着现在舒坦有空，我还是试着严肃认真地梳理一下，不为别人，只为自己梳理。我说2012快点来吧，绝对不是因为现在我极度舒坦而表现出一种傻瓜似的欲望得到满足后的毫无精神追求的无所谓，是因为传说中的2012人类毁灭，促使我开始思考如何面对死亡，而这种思考一旦有了结论，那么它和毁灭发生的概率有多大，什么时候会发生其实就没有什么关系了。

以下是我的结论：

第一，不害怕，不焦虑，要从容，因为害怕没有用。要从容，万一2012不来呢，岂不是傻瓜似的白焦虑了。

第二，不回避，不纠结，要坦然，因为回避没有用。要坦然，难道你想剩下来的两年只干一件事，买彩票，盼中奖，然后去买一张诺亚方舟的船票？

这两点看似很简单，其实做起来还是有难度的。不会面对死，就不会面对生！说面对死亡不害怕，不回避，其实就是说面对生活里的问题和困难不害怕，不回避。面对生做不到的，面对死一定也做不到！说到我自己，我自认为，因为阅读、思考、实践的原因，我多少弄明白了该如何面对生活。所以，我想，只要我是走在我想要的生活的那条路上，什么时候死就真无所谓了。注意，我说的是在路上就很好！因为我一向追求的梦想不是某一个时间节点的量化指标，是过程。使我快乐的也是这个过程。

拿开参差咖啡馆这件事情来说，从开第一间开始，我从来没有替自己设定一个什么量化的目标，开 1 间也好，10 间也好，只要我量力而行地开着咖啡馆就行。再准确点说，就是"开着咖啡馆，有自己的咖啡馆可以泡"就让我觉得很幸福。多开了几家，幸福感不会因此增加太多，有时候因为多了，反而不太省心，幸福感是多了还是少了需要探讨，我倾向于实际上是增减持平了。之所以开了这么多，都是机缘巧合和我感觉到的社会需要，都要 2012 了，我在这里可不是唱高调，本来嘛，那么多咖啡馆，我不可能每天都泡到。当然了，虚荣心得到些满足我还是承认的。

最后，可以预见的是，2012，大难如果真的来了，以我现在的作息时间，我多半不在睡梦中，肯定就是在我的某一个咖啡馆里，做着

我平时喜欢做的，喝咖啡、打盹儿、闲聊……此刻，2012 来吧，把时间凝固吧，我没意见！

再最后，2012 快些来吧，说的不是我想死，而是不怕死！当然，生不如死还是怕的！

没问题，就会出问题
No question，get problem

　　《纽约时报》曾经刊登过美国的婚姻专家开列出的婚前必提的 15
个问题，我逐条看下来，不禁打了个冷战，别说 15 个问题了，我当
初想都没想过要问什么问题。而且就算当时哪位智者帮我理出这些问
题，我想我也会不屑一顾地跟他说："里面的很多问题都不是什么问
题，只要有爱，一切都能解决"。可是，实际情况通常是，爱很美好，
但爱本身是解决不了什么问题的，相反，问题不管提不提出来，始终
都还是问题，时间一长，倒是可以把爱解决掉。所以如果再有机会，
这 15 个问题我一定要和对方好好探讨一下（附注一）。

　　可是，我们真的理性到了可以互相询问诸如"我们永远不会因为
婚姻放弃的东西是什么"这样一类问题吗？如果这个问题真问出来
了，会不会有异口同声的呐喊扑面而来："要结婚当然得放弃很多，
比如自由，你既然选择婚姻，就应该放弃自由，都要结婚了，怎么还

能唧唧歪歪地整出些什么永远不能放弃的？既然这样，那就甭结了。"
斗胆设想一下，在中国，如果每对情侣都逐条互问一遍这 15 个问题，
估计没几对能结得成。可是冷静想一想，这些其实都是很好的问题
呀，如果事先问了，之后问题就算出现了，也就有了思想准备，没有
过大的落差和失落感，甚至可以有办法避免问题的出现；再如果，确
实分歧太大，触碰到对方的底线，那么不结这婚就是最大程度的避免
伤害和互相保护了。

受《圣经》的影响，西方人坚信人是不完美的，是弱的，是时常
会犯错的，所以凡事都丑话说在前头；这里面也还有一个信仰是，大
家只要应得的，不指望超预期的回报，因为那很可疑。在这样的文化
背景下，这 15 个问题的出现可操作性应该是比较强的，要不《纽约
时报》也不会拿出来晒。可我们这里情况还真不一样，不爱提问，好
像也是中国式教育的"硕果"之一，咱们喜欢说"兵来将挡，水来土
掩"，事情到头上来了再说。殊不知，这到时候再说，相当于时时把
自己置身于危险的境地，不过当事人恰恰感觉不到危险的存在，或许
他们都认为自己将会是那个最最幸运的人吧！

记得我高中那会儿，大概十七八岁的时候，有过一段对生命意义
严重困惑的时期，说白了就是厌世，在生命无意义的迷茫趋势下，那

段时间胆子变得特别大，做了很多危险的事情。当时的想法是，死没什么可怕的，因为活的意思不大。庆幸的是，当时的折腾和挣扎一直是和追问、思考纠缠在一起的。在反复追问之下，我从隐隐约约，到逐渐清晰地对自己提出了两个问题，一个是，"我是什么？"一个是，"我要什么？"而对这两个问题的努力作答，贯穿了我直到现在的生命全过程，更加幸运的是，从答案初成到现在，10年来保持着基本的一致性，这种一致性我想就是价值观吧，而价值观的重要性是不言而喻的。

人一辈子会遇到很多问题，问题不会因为没有被提出而不存在，我的想法是，总提不出问题，肯定会出大问题。著名的普鲁斯特问卷由一系列问题组成，问题包括被提问者的生活、思想、价值观及人生经验等等。因《追忆逝水年华》而闻名的作家普鲁斯特并不是这份问卷的发明者，但这份问卷因为他特别的答案而出名，因此后人将这份问卷命名为"普鲁斯特问卷（Proust Questionnaire）"。相比我给自己提出的两大严肃问题，这个问卷轻松很多，更像是一个游戏，推荐给大家，是因为，不断地提问，用心地作答，在我看来既有乐趣，还很有疗效。祝各位从下面的问卷开始，常惑常问。

普鲁斯特问卷

1.你认为最完美的快乐是怎样的?

2.你最希望拥有哪种才华?

3.你最恐惧的是什么?

4.你目前的心境怎样?

5.还在世的人中你最钦佩的是谁?

6.你认为自己最伟大的成就是什么?

7.你自己的哪个特点让你最觉得痛恨?

8.你最喜欢的旅行是哪一次?

9.你最痛恨别人的什么特点?

10.你最珍惜的财产是什么?

11.你最奢侈的是什么?

12.你认为程度最浅的痛苦是什么?

13.你认为哪种美德被过高地评估了?

14.你最喜欢的职业是什么?

15.你对自己的外表哪一点不满意?

16.你最后悔的事情是什么?

17.还在世的人中你最鄙视的是谁?

18. 你最喜欢男性身上的什么品质?

19. 你使用过的最多的单词或者是词语是什么?

20. 你最喜欢女性身上的什么品质?

21. 你最伤痛的事是什么?

22. 你最看重朋友的什么特点?

23. 你这一生中最爱的人或东西是什么?

24. 你希望以什么样的方式死去?

25. 何时何地让你感觉到最快乐?

26. 如果你可以改变你的家庭一件事,那会是什么?

27. 如果你能选择的话,你希望让什么重现?

28. 你的座右铭是什么?

《纽约时报》登出的美国婚姻专家开列的婚前必问的 15 个问题

1. 我们要不要孩子? 如果要,主要由谁负责?

2. 我们的赚钱能力及目标是什么? 消费观及储蓄观会不会发生冲突?

3. 我们的家庭如何维持? 由谁来掌握可能出现的风险?

4. 我们有没有详尽地交换过双方的疾病史? 包括精神上的。

5. 我们父母的态度有没有达到我们的预期? 会不会给足够的祝福? 如果

没有，我们如何面对？

　　6.我们有没有自然、坦诚地说出自己的性需求、性的偏好及恐惧？

　　7.卧室能放电视机吗？

　　8.我们真的能倾听对方诉说，并公平对待对方的想法和抱怨吗？

　　9.我们清晰地了解对方的精神需求及信仰吗？我们讨论过孩子将来的教育模式和信仰问题吗？

　　10.我们喜欢并尊重对方的朋友吗？

　　11.我们能不能看重并尊敬对方的父母？我们有没考虑到父母可能会干涉我们的关系？

　　12.我的家族最让你心烦的事情是什么？

　　13.我们永远不会因为婚姻放弃的东西是什么？

　　14.如果我们中的一人需要离开其家族所在地陪同另一人到外地工作，做得到吗？

　　15.我们是不是充满信心面对任何挑战使婚姻一直往前走？

参差咖啡，10块一杯！

就是好，就是好来就是好！

　　这个滑稽的副标题，联想来自其实并不遥远的"文化大革命"时期唱响全国的一首老歌：文化大革命就是好！此歌歌词不多，总共12句，"无产阶级文化大革命，就是好，就是好来就是好"占了一半的歌词，可见咱们以前就这德行，完全一副不讲道理、不容分辩的嘴脸。有这种先例，那叫人讨厌的"恒什么，羊羊羊"、"送礼就送闹白痴"也就不足为奇了，原来咱们这德行一直就没改嘛。

　　之所以使用咱们，是因为我也是语言贫乏，死不改悔，一没词儿就喜欢面红耳赤的一分子。这不，今天很想在这里说清楚我们到底应该为一杯咖啡，确切地说，是一段咖啡时光付多少人民币。还没有开始说，潜意识里肯定就有了不自信，怕说不清楚，于是硬生生模仿出个"就是好来就是好"，我也来个气势上先压倒你。不讲道理！

　　老实说，很多年前第一次坐在传说中的巴黎左岸，装出漫不经心状对服务生说出"A cup of coffee，please"的时候，心里还真有些惴惴的，因为当时没好意思仔细看咖啡多少钱一杯。匆匆喝完咖啡，做好了为"第一次"付出数百块代价的心理准备，掏出一张 20 欧的纸币买单，本来还担心不够，竟然被找了一把认不清面值的硬币，紧握着，快步来到塞纳河边，低头一数，17.9 欧，刚才那杯咖啡只花了2.1 欧，才 20 块人民币多点，真他妈虚惊一场。这不是给传说中的左岸丢脸吗？要知道我们那儿的假左岸，陈年变质咖啡都卖 25 块钱一杯呢。这么算来，左岸就太便宜了，那我要天天来，晒太阳，喝咖啡，看书，冲周围的咖啡老太和匆忙的服务生傻笑，买单的时候只需掏出一把硬币让他自己拿，高兴了，还可以给他几毛小费。

在巴黎的时光从此变得很是舒坦了，几个硬币就能换来一个懒洋洋的下午。于是忍不住就想了，去掉币种的区别，欧洲人平均收入和咱们小康收入基本差不多，都是每月两三千，换算成咖啡，人家每月可以买1000杯咖啡，咱们只有不到100杯，也就是咱们的咖啡价格是欧洲人的10倍！难怪风靡全球的咖啡到中国就成了小资情调了，想"浪漫"的时候才去咖啡馆。星巴克2008年1月24日宣布，计划在美国本土的店面中推出一款小杯咖啡，售价仅为1美元。据全美咖啡协会统计，目前美国每杯咖啡的平均售价为1.38美元(按现在的汇率，不到10块钱人民币)。现在，结果一目了然，咱们咖啡卖贵了，而且贵得离谱！中国人原来不喝咖啡，没有喝咖啡的习惯(欧洲人原来也不喝咖啡的)，咖啡属于小众消费。可这也不是咖啡就应该贵的理由啊(我自己开咖啡馆，成本我清楚，不好意思透露而已)。我想这事儿应该反过来，就是因为咖啡太贵了，喝的人自然不多。比如前些年我喜欢Swatch手表的设计，每年生日都花四百多块钱买一块慰问自己，这个嗜好还养得起。如果万一哪天不小心发了大财，开始每年给自己买块劳力士，那就太傻了。道理很简单，奢侈的东西偶尔买一次可以，不可能成为生活方式。想想看，如果咱们的咖啡只卖两块多，我就不信像今天这样阳光灿烂的下午，大家没有遛到参差咖啡来的冲动。

"咖啡应该用硬币来支付，所以如果不是租金太高，10块钱一杯我都觉得很贵！还好，本店有大量好的闲书，就算是增值服务吧，10块钱的瘾，大家都承受得起。所以，我们别有用心，只想用一杯醇香廉美的新鲜咖啡，让您成瘾。"本人直来直去还很粗俗，所以把这两句话就写在了参差咖啡馆的门口。要是我会写歌，我就为参差咖啡也写个广告歌："人生多歧，推门稍歇，参差咖啡，10块一杯，就是好，就是好来就是好。"歌词很简单，重复此句7遍就算结束了。

第三类关系

第三去处（the third place），是美国经济学家通过星巴克现象总结出的一个经济学理论，意思是人们除了办公室和家之外还需要一个第三去处，星巴克无意中满足了这种需求，于是发展迅猛。而对第三去处现象的研究将可能创造更多的商机。

参差咖啡到 2012 年也有 5 年了，咱们没有那么牛，能引起经济学家的注意，不过我倒是从参差咖啡的现象和我自身的感受中，斗胆总结出一个有中国特色的社会学理论，那就是第三类关系。参差咖啡将致力于成为中国人发生第三类关系的空间和场所的典型代表。这事儿可大发了。先来看我说得有没有道理吧。

我们都知道，人一生下来就会有两种人际关系，一种是有血缘的，一种是无血缘的。无血缘的人际关系有很多种，什么同学关系、战友关系、好朋友关系、普通朋友关系、男女朋友关系、同事关系、

生意关系、雇佣关系，等等。外国的情况我不是很清楚，不过，不难发现，纠缠咱们中国人一生时间最长的主要只有两类关系：一是血缘关系，二是利益关系，无血缘关系的多样性被严重挤压了。甚至我见过一些人除了这两种关系就没有第三种了。按理说小学同学关系算是没有利益关系的第三种吧，因此如果这种关系还保留着的，基本都非常珍贵。大部分情况下，中国人一旦离开校园进入社会，还是只剩下血缘和利益关系两种了。之后的几十年基本也就在这两种关系中纠缠了。

　　为什么老是用纠缠这个词呢，血缘关系带来的是亲情怎么能说是纠缠呢。没错，血缘关系当然是亲情，从中可以获得很多的欢笑和爱。但是在中国这个保障不健全的社会里，血缘关系带来的也是责任和压力。"我为了你都怎么怎么怎么了，你还不怎么怎么怎么"，这是一个比较典型的父母对子女，老公对老婆孩子的常用语，里面浸透着压力和无奈。再说利益关系，用在血缘关系里连我都有点不太自在的纠缠一词，用在利益关系里就再合适不过了。大部分人穷极一生都是在忙着建立利益关系，还乐此不疲，认为这是人生目标和价值所在。没有利用价值的关系不叫关系，没有潜在利益的关系，花一分钟都嫌多。两种关系不知不觉地耗尽了我们的生命，我们甚至都忘记了小学时候的那种没有血缘，没有利益的关系是多么美好。

其实，我想说的第三类关系不是什么新鲜东西，就是学生时代的那种没有血缘，没有利益的纯真的同学、朋友关系。可是大家还记得吗？这样的第三类关系是多么美好呀。没有压力，只有真实淳朴的快乐；没有利益，只有互相欣赏和帮助，大家志趣相投，无话不谈。

人是社会性动物，我们其实都需要这种第三类关系，难道离开校园，一进入社会，这第三类关系就无处可寻了吗？不，我发现了，在咖啡馆里。最近几年在别人的咖啡馆，在我自己的咖啡馆，我已经有了很多并不知道职业，甚至不知道姓名的第三类关系。这种关系的特征是，大家常常在同一间咖啡馆相遇，价值观接近就多聊会儿，价值观相悖就少说几句。大家基本不过问对方的职业，互相笑称咖友。有时候大家相约一起看电影AA制，一起吃饭AA制，一起郊游AA制，一起打球AA制，集合的地点通常就在咖啡馆里。这难道不就是久违了的第三类关系吗？这样的关系，没有压力，合得来则玩在一起，反之可以随时回避，关系之间不存在任何利益。这才是最令人舒服的人际关系啊。

咖啡馆是出现第三类关系的最佳场所，至少到目前为止，我生活里交往频繁的朋友都来自咖啡馆，反而之前存在利益关系的那些对象很少出现在我的生活里了。当然我的情况可能有些特殊，不过，在咖啡馆里建立一些第三类关系，难道不是对前两种关系的一个很健康的补充吗？要知道，只有前两类关系，少有第三类关系，你的生活是不完整的，甚至可以说是可怜的。

也不知道说清楚没有，反正我觉得，咖啡馆在中国一定会越来越多，越来越能够成为第三类关系产生的空间和场所。至少参差咖啡现在就是这样一个地方，也许正是这个原因，参差咖啡才歪打正着地发展得越来越好吧。如果我在这里没有说清楚，那就等着以后真正的社会学家从参差咖啡现象分析出一个中国人的第三类关系理论吧。

我们乐意教每个想学的人！

咖啡有瘾又何妨?

我们不是瘾太多，而是瘾太少，只要是不致命的瘾，我都举双手赞成。

赚钱有瘾这事儿倒是普遍存在着，可是赚钱到底是为了心理满足还是为了提高生活品质呢？对于怎么提高生活品质，我一直认为是很低层次的常识，不想在这里讨论，我们现在讨论的是生活中的瘾与生活品质的关系。有瘾才有寄托，瘾是在生理需要的基础上上升到心理需要的。生理和心理同时需要，才能算是瘾。很多国人说咖啡对外国人来说是生理需要，是刚性需求。我不同意这说法，你不信试试给一个 3 岁的老外灌两杯咖啡看看。我们得看他们这刚性需求是如何形成的。你说习惯是熏陶出来的，他们从小就开始喝，有这氛围。我看这不是问题的重点，问题的重点是煮咖啡需要时间，喝咖啡需要时间，还需要花钱，他们说每天都是被咖啡唤醒的，你却硬要说每天早晨热干面下肚才能被唤醒那就没劲了，其实是你没时间得去赶车嘛。说到

「因为有你
所以参差」

底你是没这个时间或者不想花这个时间，闲钱也不多。你的刚性需求还没有机会被养成而已。

瘾太少，或多或少说明你还处在生存状态，没时间去上个瘾；或者你视生活寡淡为常态，内心空空而无意识和不警觉。甚至对什么都没有瘾，你还非要美其名曰健康，林子里的野猪可比你健康，还纯天然，原生态呢。

恋爱与开咖啡馆

"森哥，我是你咖啡馆的老客人，现在在你的咖啡馆里，你在哪儿呢？现在有空吗？"

"我在打球，怎么了？"

"我也想开咖啡馆，想加盟你们，想当面请教一下，你现在回得来吗？"

"我刚开始打，估计还得两个小时，你能等吗，如果不能等改天再聊也行？"

"不行啊，我等不及了，你快回来吧。"

这是我曾经接过的一个电话，结果是，我打完球回去了，她真的在等我，但是我只用了半个小时就把她劝回去了。她也欣然接受她暂时还不适合开咖啡馆的建议，高高兴兴地走了。

举这个例子，是想说，现在的确有很多人一看到那些不错的小咖啡馆就心里痒痒，恨不能马上也拥有一个，尤其是经济条件还不错的人，更是急不可耐。这个有点儿像现在很多人一到适婚年龄也有点儿急不可耐，认为直奔婚姻主题天经地义一样。可是在我看来这近乎弱智。比较自然合理而快乐的想法应该是这样的：先找个自己喜欢的人谈恋爱，结婚是另外一件事情，先放到一边。找不着人谈恋爱就等着，该干吗干吗。如果你认为自己的保质期有限，着急在到期之前把自己卖出去，生怕过期会被打折，那我就没话说了。但是理性一点的方法应该是，提高自己的生活品质和"产品质量"，将保质期尽量延长。有人可以恋爱，该上床上床，该吵架吵架，千万别委屈自己。要是有那么个人怎么吵都不烦，闹翻了还想着对方，对其他人也提不起兴趣，那就差不多了。一方只想同居，老不提结婚也没关系，千万别逼自己，也别逼别人结婚。同居就同居，不要说你耗不起，因为如果你真的觉得是在耗，那跟这样的对象结婚岂不是要耗一辈子？一辈子跟一年两年哪个更可怕？或者说你和喜欢的人耗上一年半载你都不愿意，那还跟他结婚干吗？这样的婚结了难道就不是耗了吗？最后，就算运气不好，没有修成"正果"，小日子过得并不差，也没啥可后悔的，再找呗。

开咖啡馆也一样，喜欢咖啡馆，先泡着。没时间，没心情泡？那开哪门子咖啡馆呢？就像非得到结婚了，我才会对对方好，会愿意在对方身上多花点时间，多给些关注，才有理由把心思都放在对方身上，那是扯淡。你现在不愿意，将来更不可能愿意，或者说，你现在做不到，是你本来就做不到，将来也做不到。

咖啡馆泡着泡着，你自然会有些心得，真喜欢假喜欢就会有个比较靠谱的判断。如果真喜欢，后面的事情就比较好办了。再慢慢找地方，构思，积攒东西和各种心思，一年两年都不急。就像想通过恋爱来改变生活是愚蠢的一样，咖啡馆其实不会改变什么，它只是你一贯风格的延续和载体。你生活漫无目的，整天空虚无聊，为了结婚而结婚，想通过婚姻来改变现状，结果一定是把双方都弄疯了，而且，不出意外的是，你一定会更无聊。契诃夫有句话："如果你害怕孤独，那就不要结婚。"

所以，当你可以无忧无虑地泡咖啡馆的时候，再去开咖啡馆吧。一样的道理，只有当你自己能过得幸福、丰富、饱满的时候，当你懂得享受恋爱的时候，再去考虑结婚吧。享受恋爱的人才配结婚，爱泡咖啡馆的人才能开咖啡馆，这是常识。

后记
参差咖啡梦想学校

　　我一点也不否认，写这本书是为了给开参差咖啡梦想学校做铺垫。我当然也不能否认开学校的目的是为了赚钱。但是这种主观利己，客观利人的事情，我很好意思干。能帮助大家梦想成真，我挣点辛苦钱也是应该的吧。

　　说实在的，看一本书就能开好一间咖啡馆肯定连你自己也不信，书的作用充其量可以帮助大家理清思路，或者说是尽量说服大家同意我的思路。万一这本书并没有说服你，甚至你看完了根本就不同意我的想法和做法呢？

　　不过有一点是可以肯定的，买这本书的人大概都是怀揣开咖啡馆梦想的人。没准有些人已经开始着手准备；甚至有些人已经开起来了，正因为什么环节在困惑着；或者经营得还不错，希望更好玩一点。我想说的是，假设这本书对你启发很大，里面还有一些实战经营的分享，有些具体数据的分析，你以为只要按图索骥，再综合考虑进去本地的特点，再加上一些自己已经储备的和有待开发的想法，开一间投资不大的小咖啡馆大概八九不离十吧。我给出的建议是，千万别这么认为，拜托你，欢迎你，到参差咖啡梦想学校里来待3个礼拜吧！

以下我帮你列出了三个理由：

第一，好像是弗洛伊德说的，如果你没去过伊斯坦布尔，去过的那个人跟你形容得再详细、再准确，你还是无法想象伊斯坦布尔是什么样子。要想知道是什么样子，只能亲自去一趟。引用这个的意思是，书里有限的故事，有限的数据，有限的图片远远不能和你亲自到所有的参差咖啡看看，听我更详细的课，再和店长们聊聊，甚至给你机会在几个小咖啡馆做几天代理老板来得更有实效。既然要投入那么多钱开咖啡馆，可不能在乎一点学费是吧；既然开咖啡馆是将来的生活，可不能急那么几个礼拜是吧。看到这儿，千万别笑话我在这里厚着脸皮拉生源哦，我反正觉得自己做的事情挺有意义，甚至可以肯定你们来了，将来一定会感谢我。筹建一间咖啡馆，省下的投入都是赚的；经营一间咖啡馆，不走弯路就会少损失甚至不损失金钱，我如果能帮大家做到这两点，赚点钱也是应该的嘛。

第二，想开和开着一间咖啡馆完全是两回事。咖啡馆和牛肉面馆最大的区别是，牛肉面馆品质好，味道好，服务好，干净卫生就基本OK了；而对咖啡馆来说，这几条只是基础性的硬指标，咖啡馆的经营还需要更多软性指标，诸如氛围的营造，主人心态的设定和调整等等。因此，我们提供制作咖啡的教学只是基础部分，相当大的比例是提供如何开店的指导，包括：心理准备、心态调整、选址、设计、装修、经营案例分析、实地考察、店内实习和馆主体验。通过3周的学习，让你除了会做一杯好咖啡之外，还能全方位地确立正确的概念，形成适合自己的独特的经营思路，建立理性基础上的十足信心。我们的目标是，学期结束之后，关于你的咖啡梦想，接下来的每一步，你都成竹在胸；在筹建咖啡馆的过程中，每个步骤和环节你都有非常清晰的思路可循，碰到问题很快就有相应的解决方法；在经营过程中，知道如何享受过程，碰到困难，还能够很坦然地理性看待和加以解决，清楚地知道困难出现的原因和克服这些困难的过程将是怎样的。总之，就是希望你能通过学习和实习，建立自信，对开好自己的咖啡馆很有把握、充满信心，从一开始就立于不败之地。

第三，参差咖啡梦想学校是一间关于咖啡馆梦想的学校。我们深知小咖啡馆本来其实不适合做连锁，所幸我们叫参差咖啡，于是我们可以在武汉以不同形式和不同风格做成了一种另类连锁。但是这种连锁由参差咖啡直营复制到外地就不可行了。看过前面分析的朋友应该知道，小咖啡馆盈利能力有限，最适合馆主自己经营，如果我们把小咖啡馆直营连锁到外地去，经营成本肯定会大大提高。这么一分析，特许就成了参差咖啡能够复制的唯一出路了。

可是在中国一提到特许经营，我自己都觉得不靠谱。我本人就间接认识几个靠中国式特许经营发大财的。说白了，他们就是编造一个特诱人的盈利模式把大量急于创业或者发财的人骗进来，收完加盟费离他们失踪就不远了，通常情况下他们又去编造另外一个盈利模式去了。所以，如果参差咖啡做特许经营一定会十分慎重，要经过严格的双向选择。我们会坚持特许只发给参差梦想学校的学员，当然你早有自己成熟的想法不想加盟也没问题，双向选择嘛。但是如果有意向选择加盟的话，实地考察加学习就非常必要了。武汉的这 10 个参差多态的直营店你都可以因地制宜，结合本地实际，有选择，有针对性地复制到你所在的城市。

　　毕竟我只是个开咖啡馆的，不是作家，所以前面那些文章免不了有些语无伦次，时而严肃文绉绉，时而又有点插科打诨的乱调侃，大家千万别介意。我只想说，我是一个乐观的好人，欢迎大家来武汉。

梦想学校
cccoffee dream school

图书在版编目（CIP）数据

就想开间小小咖啡馆／王森著.—北京：中信出版社，2012.5

ISBN 978–7–5086–3285–8

I. 就… II. 王… III. 随笔－作品集－中国－当代 IV. I267–1

中国版本图书馆CIP数据核字（2012）第049398号

就想开间小小咖啡馆

JIU XIANG KAI JIAN XIAOXIAO KAFEIGUAN

著　　者：王　森

策划推广：中信出版社（China CITIC Press）

出版发行：中信出版集团股份有限公司（北京市朝阳区惠新东街甲4号富盛大厦2座　邮编　100029）

　　　　　（CITIC Publishing Group）

承 印 者：中国电影出版社印刷厂

开　　本：880mm×1230mm　1/32　　印　　张：9　　字　　数：10千字

版　　次：2012年5月第1版　　　　　印　　次：2014年10月第32次印刷

广告经营许可证：京朝工商广字第8087号

书　　号：ISBN 978–7–5086–3285–8 /I · 286

定　　价：36.00元

投稿邮箱：author@citicpub.com　　　　　　　服务热线：010–84849555

　　　　　　　　　　　　　　　　　　　　　服务传真：010–84849000